The Modern Student's Library

FRENCH SERIES

THE Modern Student's Library now includes a series of volumes in French—novels, short stories, plays, and essays. These have been selected from the works of the great French writers to suit the special needs of the student and the general reader. Each volume contains an introduction and brief notes by a leading American authority.

The French Series is under the general editorship of Horatio Smith, Professor of French Language and Literature at Brown University.

[*For a complete list of* THE MODERN STUDENT'S LIBRARY *see the pages following the text*]

CHARLES SCRIBNER'S SONS

PIERRE ET JEAN

PIERRE ET JEAN

BY

GUY DE MAUPASSANT

WITH AN INTRODUCTION AND NOTES BY
AARON SCHAFFER
PROFESSOR OF ROMANCE LANGUAGES IN THE
UNIVERSITY OF TEXAS

CHARLES SCRIBNER'S SONS

NEW YORK   CHICAGO   BOSTON   ATLANTA
SAN FRANCISCO   DALLAS

Copyright, 1936, by
CHARLES SCRIBNER'S SONS

Printed in the United States of America

CONTENTS

INTRODUCTION

When Guy de Maupassant was on the threshold of his majority, at the outbreak of the Franco-Prussian War, four men who were already, or were very soon to become, recognized masters of their art, loomed large on the horizon of French fiction: Flaubert, Edmond de Goncourt (his brother Jules had just died), Zola and Daudet. These four men, together with the Russian novelist, Ivan Turgenieff, became fast friends at about this time, forming a group that, for gusto and spiritual adventurousness, for good fellowship and joy in one another's gifts, is strongly reminiscent of the band of Elizabethans who foregathered at the Mermaid Tavern. It was Maupassant's rare good fortune, not only to be taken into the bosom of this group when he was in his early twenties, but actually to be treated as a sort of favorite by two of them, Flaubert and Zola, the two whose names, along with those of Balzac and Stendhal, dominate the course of nineteenth-century French fiction. Several very entertaining descriptions of the gatherings of the group have come down to us: one by Daudet who, in his chapter on Turgenieff in the volume of memoirs styled *Trente ans de Paris,* gives a lively account of one of the famous "dîners Flaubert" in Paris; another by Edmond de Goncourt who, in his *Journal* for 1880, recounts a reunion at the home of Flaubert at Croisset, near Rouen; and a third by Maupassant. This last appears in an "Etude sur Gustave Flaubert," written in 1884 and used as preface, first to the published correspondence of George Sand and Flaubert and shortly afterwards to the latter's posthumous *Bouvard et Pécu-chet.* To list, as do these three men, the guests at Flau-bert's receptions, either on his Croisset estate or at his apartment in the fashionable Parc Monceau section of Paris, would almost be tantamount to calling the roll of the great names in the arts and sciences of the France of the day. Suffice it to say here that it was in this stimulating *milieu* that Maupassant received his chief inspiration and much of his training; and it is small wonder that, with his native gifts, he himself soon became a giant in French fiction, master at once of the short-story and the novel.

French literature had, by 1870, become overwhelmingly realistic. This was the case not only with the novel, which already had the achievements of Balzac, Stendhal and Flaubert to its credit, and with the drama, where Augier and the younger Dumas were paving the way for the much more iconoclastic Henri Becque and the playwrights of the Théâtre libre, but even in the realm of poetry, in which François Coppée was drawing for subject-matter upon the material which was to earn him the sobriquet of "le poète des humbles." The scientific discoveries were transmuted into a philosophy of literary criticism, especially in the hands of Taine who insisted that man can be understood only as a product of the interplay of heredity and environment. Most of the writers of the day were attempting, not always with complete success, to approach their work in the spirit of objectivity and impersonality presumably characteristic of the scientist in his laboratory, and to treat their subjects with the cold detachment of the surgeon performing a delicate operation. So completely had literature assumed the function of serving as a mirror of life that Maupassant, a true child of his age, could proudly make the boast that his work contained no invention whatsoever, but was based solely on episodes out of his own existence or the lives of his fellow men. All of his stories, we can imagine him claiming, might bear the title of one of those in the *Contes du jour et de la nuit*, "Histoire vraie."

This, then, was the literary scene of Maupassant's day. And, since we still accept as valid the nineteenth century's insistence upon *milieu*, it follows that the understanding and proper appreciation of Maupassant's work are dependent, in goodly measure, upon an acquaintance with the main facts of his life. Despite Maupassant's own efforts at preventing his correspondence and his more personal experiences, which he considered a purely private concern, from becoming common property (he even objected strenuously against the printing of his picture as frontispiece to one of his volumes of short-stories, feeling that his physical appearance could be of no moment to his readers), and despite his mother's dictatorial censorship, after his death, as to what the public should or should not know about his life, these facts have, through the labors of such of his admirers as Baron Albert Lumbroso and Edouard Maynial, by now been established in considerable detail, and may here be briefly summarized.

Henri-René-Albert-Guy de Maupassant was born on August 5, 1850, at the Château de Miromesnil, five miles from the city of Dieppe on the Channel coast in Upper Normandy. Shortly after his birth, the family removed from the château, which it had rented only temporarily, to the Norman village of Etretat, also on the English Channel, and it was there that Guy spent the years of his youth. Gustave de Maupassant, the father of Guy, belonged to a Lorrainian family that had been ennobled by Francis I and had settled in Normandy in the middle of the eighteenth century. Guy's mother, Laure Le

Poittevin, was of Norman descent, and, with her brother
Alfred, whose premature death put an end to a poetic
career full of promise, enjoyed the close and lasting
friendship of Flaubert. Madame de Maupassant was a
very cultured and ambitious woman, far superior to her
handsome but somewhat profligate husband, whose infi-
delities rendered their marital life intolerable. A separa-
tion was agreed upon, Madame de Maupassant receiving
an annuity and keeping the two children, Guy, at this
time about twelve years old, and a brother Hervé, six
years his junior. The annuity and her personal fortune
enabled Madame de Maupassant to rear her small family
in comfort at her Etretat villa of *les Verguies;* for the
first thirteen years of his life, she was Guy's constant
companion and teacher, the principal influence in the
shaping of his rapidly maturing mind. She had early
formed the ambition of a literary career for her son, and
all her energies were bent in this direction. She encouraged him, on the one hand, to read widely, and, on
the other, to roam freely over the Norman countryside
and to mingle with peasants and fisherfolk so as to
cultivate the habit of observation. This life suited his
temperament perfectly; he read and studied avidly, but
with equal avidity he spent his leisure out of doors,
striking up friendships with country-children and building up a rugged physique in the fishing-expeditions and
the other open-air sports in which he indulged. He thus
laid two highly important foundation-stones for the literary edifice he was later to construct; his boyhood contact
with the Norman landscape and the Norman peasantry
provided him with settings, human types and incidents
for many of his best novels and short-stories; his fondness for the water, continued during his early Paris
period in long hours of arduous boating on the Seine
and, still later, in extended cruises through the Medi-

terranean on his yacht, named after one of his most successful novels, *Bel-Ami,* is revealed in tale after tale
from his prolific pen. Examples of the first of these
types of subject-matter are such narratives as "la
Ficelle," "la Bête à maît' Belhomme," "le père Amable,"
and portions of the novels, *Une Vie* and *Pierre et Jean;*
instances of the second are short-stories such as
"Mouche," "la Femme de Paul" and "Ça ira," and, here
too, important sections of *Pierre et Jean.*

At the age of thirteen, Guy was enrolled as a student
at the seminary of Yvetot, where he was so unhappy
that he contrived, by making fun of his professor of
theology and by allowing one of his first compositions
in verse, a slightly prurient effusion, to come to the attention of the director, to have himself expelled from
the school. His mother, none too orthodox herself, was
not unduly distressed by this expulsion, but she was
determined that the boy should submit to a course of
formal education and so sent him to the *lycée* at Rouen.
The advantages of this school over that at Yvetot were
several; Guy was spared the cloistered, austere existence
which ran so counter to the mode of his boyhood days
at Etretat; much more important, he here had the benefit
of the friendship and literary guidance of a genuine
poet, Louis Bouilhet, who, like Flaubert, had been a
childhood intimate of Alfred and Laure Le Poittevin.
It was from Bouilhet that Guy first received the counsel
that patience, hard work and a thorough grounding in
technique are among the essentials for the creation of
works of genius. As a consequence, though he was a
good student and received his baccalaureate in due
course, young Maupassant devoted much of his energy
to the writing of poems, many of which were later lost
or destroyed but some of which, dug up out of old copy-
books after his death and published in various periodi-

cals, reveal a facility and a prosodic skill far above the average for a lad of his age. The significant fact in all this is that Maupassant, during this first period of training, thought of himself as a poet and apparently did not once try his hand at fiction; at the same time, it is to be noted that his youthful poetry shows marked narrative elements and that the best poems in his only published volume of verse are really rhymed short-stories.

Armed with the degree of bachelor of arts, Maupassant returned to Etretat, where he was calmly engaged in the sharpening of his faculty of observation and in the acquisition of a literary technique when the country was rudely shaken by the news of the declaration of war on Prussia. Of military age, Maupassant enlisted in the *garde mobile,* the equivalent of that day for what we should call the militia or the home guard, and participated in the hurried retreat of a French corps during the Prussian attack on Rouen; later, he obtained a post in the quartermaster department which he held until September 1871. This was the third of the important foundation-stones for his literary career; for, during his twelve months of service, he experienced or witnessed a number of episodes which were to form the kernel of some of his finest stories. Indeed, the very first short-story to bring him into prominence, "Boule de Suif," still considered by many critics as one of his most successful attempts in the *genre,* was based on an actual happening in the Rouen campaign and its principal character has been identified. Other stories inspired by the Franco-Prussian War are "l'Aventure de Walter Schnaffs," "la Mère Sauvage" and "Mademoiselle Fifi," in all of which Maupassant takes keen delight in pointing out the absurdities and cruelties resulting from armed conflict. He is duped by no illusions as to its vaunted glamour.

At the conclusion of his military service, Maupassant established himself definitely in Paris. He accepted a clerkship in the Ministry of the Marine which he exchanged, in 1878, for a somewhat less burdensome position in the Ministry of Public Instruction, where he remained for two years. This decade saw the completion of his literary apprenticeship. He was now a full-fledged unit in another segment of French life, that composed of the poorly paid, much abused government clerks and their families. Here was a world in which material for fiction abounded, and such stories as "la Parure," "l'Héritage" and "A cheval" bear witness to the mastery with which the material could be handled. For pastime, Maupassant, living by preference in the suburbs on the banks of the Seine, gave himself wholeheartedly to his favorite sport of boating, and he was soon a familiar figure on the river and in the taverns of the islands with which it is dotted; it is even reported that he once rowed two of his friends all the way from Paris to Rouen. He was in possession of glowing health, eating, drinking and making love in a manner that would have gladdened the heart of Rabelais himself. He was a jolly companion, and many of his friends have left affectionate records of these years. And, what is most noteworthy, he now took seriously to writing as an avocation, this time under the guidance of the man who was truly his literary godfather. For seven years, from 1873 to 1880, he was the obedient pupil of Flaubert, submitting everything to him, prose as well as verse, and accepting almost without question his corrections and suggestions. More than this, he was allowed to assist his master in gathering the materials for the latter's *Bouvard et Pécuchet,* a novel which was destined to remain unfinished and which undoubtedly gave Maupassant the idea for his own satire on the life of the middle-class government-clerk, *les Dimanches d'un bourgeois de Paris,* a series of sketches which appeared serially in the *Gaulois* during the summer of 1880 but was not included in his published works until after his death. Through Flaubert, as has been related above, Maupassant was granted *entrée* into the literary *cénacles* and the prominent *salons* of the day, and the pages of reviews were opened to him. Here he published, always pseudonymously and usually under the name of Guy de Valmont, poems, critical essays and a few stories; at the same time, he went about with his head buzzing with plans for the composition of successful plays. But he was really biding his time, and when urged by friends to undertake something ambitious to be published under his true name, he would reply that there was no hurry as he was "learning his trade."

By 1876, Maupassant had become, along with J. -K. Huysmans, Henri Céard, Léon Hennique and Paul Alexis, a confirmed admirer of Zola; these five young men were regular visitors at the home of Zola in Paris and followed him, in summer, to his country-home at Médan on the Seine. In the course of one of these visits to Médan in the summer of 1879, Zola ventured the suggestion that each one of the six should, Decameron-wise, regale the group on successive evenings with original narratives of episodes from the Franco-Prussian War. The idea was seized upon with alacrity, and the result was a half-dozen tales which so pleased the authors that they were published, in the following year, under the title of *les Soirées de Médan.* Maupassant's contribution was the now famous "Boule de Suif," which was generally hailed as the best story of the volume, better even than the grim tale by which Zola was represented, "l'Attaque du moulin." "Boule de Suif" was written without the knowledge of Flaubert who, when he received the manuscript of the story, was carried away with en-

thusiasm and at once wrote his disciple that he had achieved a masterpiece.

Maupassant was now, at long last, fairly launched on the career of letters. The chorus of praise which greeted "Boule de Suif" encouraged him to assemble what seemed to him to be the best poems he had written since 1875 and to publish them in a book bearing the unpretentious name of *Des Vers*. This volume, dedicated "à Gustave Flaubert, à l'illustre et paternel ami que j'aime de toute ma tendresse, à l'irréprochable maître que j'admire avant tous," went through three editions in two months, its success being materially aided by a threat of governmental prosecution for immorality such as that to which Flaubert and his *Madame Bovary* had been exposed. Largely through the activity of Flaubert, the case was dropped, but not without having provided Maupassant with wide and entirely gratuitous publicity. Developments now came rapidly; before the appearance of the third edition of *Des Vers,* Flaubert was dead, to the genuine distress of Maupassant who, henceforth, was to lose no opportunity of proclaiming to the world his indebtedness to his "paternal friend and faultless master." Feeling that he had outgrown his swaddling-clothes, Maupassant resigned his clerkship in the Ministry of Public Instruction in favor of the life of the professional *littérateur*. Despite the acclaim with which *Des Vers* was heralded and the cordial reception given to two playlets performed before 1880, Maupassant realized that "Boule de Suif" was far superior to anything he had yet written; as a consequence, he abandoned poetry completely, returned only rarely to the theatre, to which his genius was patently unsuited, and set out on the path which was to lead him to hegemony in the realm of the short-story and to a solid position in that of the novel. The years of apprenticeship were over.

Having burst in this meteoric fashion into the public

notice, Maupassant now gave his almost undivided attention to the writing of fiction. In the decade from 1880 to 1890, he published six novels, sixteen volumes of short-stories, three books of travel-impressions and numerous periodical articles. His complete works, including his plays, stories left in manuscript at his death, correspondence, and essays never before reprinted from the reviews in which they had first appeared, fill twenty-nine large volumes. To achieve such an output in so short a time, Maupassant had had to work at a furious rate, turning out an annual average of three books for eight years. One year, 1885, saw the publication of no less than five volumes. His first collection of short-stories was *la Maison Tellier* (1881), dedicated to Turgenieff; his first novel was *Une Vie* (1883), a masterpiece of realistic fiction and often styled the saddest book ever written. His best-known stories are scattered through such volumes as *Contes de la bécasse* (1883), *Toine* (1885), and *le Horla* (1887); and at least two additional novels, *Bel-Ami* (1885) and *Pierre et Jean* (1888), deserve to be included among his most powerful achievements. These works brought him world-wide fame, financial ease and social success, so that his days were spent in the full joy of composition and with little disturbing incident. The only noteworthy events of this period were his love-affairs and his trips to Brittany, Italy, Sicily, Corsica and Mediterranean Africa. His experiences in the *haut monde* widened his literary horizon; they are reflected in many stories and in the three novels which have not yet here been mentioned: *Mont-Oriol* (1887), *Fort comme la mort* (1889) and *Notre Cœur* (1890), novels in many respects inferior to their three companions. His cruises furnished much in the way of setting and incident, not only for his travel-volumes but also for *Une Vie* and for such short-stories

as "le Bonheur," "une Vendetta," "Allouma" and "Marroca." Maupassant had inherited from Flaubert a contempt for everything *bourgeois,* so that, like his master, he never married and was a total stranger to the Catholic Church. He is quoted by a friend as having said that he would never write for that stronghold of literary conservatism in France, *la Revue des Deux Mondes,* that he would never accept a decoration from the government, and that he would never bid for election to the French Academy. As a matter of fact, he did not carry out the first two of these threats, inasmuch as *Fort comme la mort* originally appeared in serial form in the *Revue des Deux Mondes,* whose generous rates were apparently irresistible to one who lived on so lavish a scale; and he accepted the violet ribbon of the Ministry of Public Instruction which, however, he is reported to have worn only once in his life. As for the Academy, Maupassant seems to have thought that a literary body which could refuse admission to Balzac, Flaubert, Zola, Daudet and the Goncourts was unworthy of his membership.

This was the period of triumphant activity in Maupassant's life. But, in the very flush of his triumph, a cloud showed itself on the horizon which was destined, all too soon, to gather the force of a whirlwind and to leave in its wake the mental and physical wreckage of the giant whom Taine was in the habit of describing as a "taureau triste." Always much concerned about his health and rendered anxious by the least sign of illness, he had, as early as 1880, complained of pains in the region of the eyes; and, towards 1885, he began to suffer violent attacks of neuralgia, to relieve which he had recourse to ether, cocaine and hasheesh. Indeed, he declared to a physician of his acquaintance that he had written every line of *Pierre et Jean* under the influence of ether, and a sketch entitled "Rêves," included among the *Œuvres posthumes,* describes the "acuité prodigieuse de raisonnement" experienced in this state. His addiction to drugs now combined with fatigue, due to mental over-exertion and to physical excesses, to superinduce nervous hallucinations; and it is a highly significant fact that, throughout his career, he was interested in pathological, especially psychopathic, themes. This interest can be traced from "le Docteur Héraclius Gloss," a story written between 1875 and 1877 but not published until 1921, through "Lui?", which dates from 1883, to "le Horla," "Qui sait?" and many others composed towards the end of the great decade. At the height of his fame, Maupassant divided his time between his Paris apartment, the Etretat villa of *La Guillette* which he had had constructed near the site of his boyhood home, the French Riviera and his yacht; when the deterioration of body and mind was becoming apparent, he journeyed frantically from one health-resort to another in search of the cure that never came, and he was soon a prey to the stark pessimism that so strongly colors his *Fort comme la mort.* By the latter part of 1891, he realized fully the fact that he was on the verge of a mental collapse, and insinuated to several friends, including José-Maria de Heredia, that he would commit suicide. He had rented a *chalet* at Cannes, on the Riviera, and during the course of a New Year's Eve dinner at his mother's villa in Nice, he began to talk disjointedly and to behave as one not in control of his mental faculties. Over the protest of his mother, he returned to Cannes, where he attempted to take his life, first with a revolver which his valet had had the foresight to empty, then with a paper-knife with which, however, he succeeded in inflicting only a flesh-wound. In the next few days, insanity set in definitely, and, a week later, Maupassant was transferred to Paris and placed in a private asylum at

Passy. For a year and a half he lingered on, much of this time a raving maniac who had to be confined in a strait-jacket. Death came to end this hideous condition on July 6, 1893; Maupassant was buried in the Montparnasse cemetery, not far from the grave of the composer César Franck, and the principal funeral-oration was delivered by Zola. His brother Hervé had also died a madman only four years before; both parents survived. The father, who had been living in Paris as a broker and for whom Guy had always retained a certain affection though he saw him but seldom, attempted to assist in the settling of the estate, desiring particularly to assure the comfort of Hervé's widow and orphan-daughter; the mother, who had suffered agonies during her son's internment in the asylum, took personal charge of his business affairs, and did all in her power, until her death in 1902, to assure his veneration at the hands of posterity.

It has already been shown that Maupassant owed much to at least three writers who might be termed his literary sponsors. Of each of these three men, Bouilhet, Flaubert and Zola, a final word may here be set down. Louis Bouilhet was a poet and playwright of considerable talents who, having failed to earn for himself in Paris the fame and fortune which he felt he merited, had retired to his native city of Rouen, where he was given the post of city-librarian. He was acting in this capacity when Maupassant entered the Rouen *lycée* and, at the request of Madame de Maupassant, he interested himself in the young student. According to Maupassant's own testimony, Bouilhet repeatedly insisted that "a hundred lines, perhaps even less, suffice for the reputation of an artist, if they are flawless and if they contain the essence of the talent and the originality of even a second-rate writer," and thus set his pupil on the laborious task of perfecting a technique and developing his native gifts. Bouilhet's direct contact with Maupassant was of short duration, as he died in 1869, at the age of forty-seven. It was not until two years after Maupassant had first met Bouilhet that he came under the close surveillance of Flaubert, who received affectionately the son and nephew of Laure and Alfred Le Poittevin. What Flaubert attempted to do during this unique literary relationship was to form in the young Maupassant an individual manner of feeling, seeing and writing, and to these lessons may be traced that precision and clarity of style which have so often earned for Maupassant's greatest works the epithet of "photographic." To be sure, Maupassant's use of the *mot juste* differs somewhat from that of Flaubert; for, whereas the latter was seeking among other things, sonority of expression, so that he labored for days over a few sentences until they had what seemed to him to be their inevitable rhythms, Maupassant advanced in the direction of economy, ruthlessly omitting all unnecessary and trite expressions, and of thematic concentration; this latter quality is well exemplified by *Pierre et Jean* which, though it fills some two hundred fifty pages, might easily be characterized as a long short-story. As for Zola, whose influence overlapped that of Flaubert, it was he who inculcated into Maupassant those naturalistic theories which were soon to be given body, by Zola himself, in essays such as "le Roman expérimental" and "le Naturalisme au théâtre." As a matter of fact, so well did Maupassant learn these lessons that, for cold-blooded portrayal of the sordid realities of life and refusal to employ fiction, as did Zola or Dickens, for melioristic purposes, he far outstripped his master. Indeed, one critic has said that Maupassant "destroyed naturalism," in that his work represents the extreme limits of that form of art; in the

light, however, of more recent fictional trends, this statement is highly debatable.

It may be well for us, at this point, to indicate why
Pierre et Jean has been selected for the present series
and then to sketch briefly the history of its composition
and publication as well as of those of the essay, "le
Roman," with which it is prefaced.

Maupassant is, of course, much better known to most
American readers than are the greater majority of
French writers; but his fame among us rests chiefly
upon his short-stories. Of his novels, *Une Vie* has, perhaps, been most widely read in this country; whereas
Pierre et Jean, which is, in many ways, no less characteristic of its author and no less powerful as a study of
certain aspects of French life, is largely unknown.
When, in addition to this, we take into consideration the
fact that the essay which was published conjointly with
the novel is Maupassant's most extended pronunciamento
on the art of fiction-writing, as he comprehended it, and
the clearest statement of his own approach, the importance of the volume to American readers becomes evi-
dent.

What is the history of *Pierre et Jean?* Madame
Hélène Lecomte du Nouy, Maupassant's neighbor at
Etretat and the intimate companion of his last years,
has recorded their relationship in two works, *Amitié
amoureuse,* a novel, and *En regardant passer la vie,* a
volume of memoirs; this latter contains a diary kept by
the author, who wrote in it, under date of June 22, 1887,
that Maupassant had just been reading her the first
pages of *Pierre et Jean.* He had gotten the idea for the
novel, he told her, from an actual incident: an acquaintance of his, the son of an elderly father and a young,
attractive mother, had inherited eight million francs
from a friend of his parents. This, Maupassant felt, was

an excellent starting-point for a psychological study; and, deciding to lay the scenes of the novel in and around the seaport of le Havre, he invited Mme Lecomte du Nouy to accompany him to that city, "pour qu'il puisse se pénétrer du paysage, des bassins et du mouvement du port d'une façon absolument juste." This procedure of documentation antecedent to composition Maupassant, in common with Flaubert, the Goncourts, Zola and Daudet, applied to all his best work. Early in November of this same year, Maupassant wrote his mother that his publisher was to bring out the novel in the following January, and he predicted for the book a literary but not a financial success. He had no doubts, however, as to its qualities. "Je suis sûr que ce livre est bon, je te l'ai toujours écrit. Mais il est cruel, ce qui l'empêchera de se vendre." The "cruel" novel was first published serially in la Nouvelle Revue for December 1887 and January 1888, and was brought out in book form in the latter month; it was well received by critics in such important periodicals as la Revue des Deux Mondes, le Temps, le Journal des Débats and l'Illustration. The greatest of these critics, Anatole France, declared that Maupassant had treated his unpleasant subject "avec la sûreté d'un talent qui se possède pleinement. Force, souplesse, mesure, rien ne manque plus à ce conteur robuste et magistral. Il est vigoureux sans effort. Il est consommé dans son art."

The prefatory essay to Pierre et Jean, "le Roman," in which Maupassant attempted to lay down criteria for the writing and judging of fiction, was written in the fall of 1887 for the literary supplement of the Paris Figaro. When it was printed, however, Maupassant discovered that the editor had omitted several passages without having previously consulted him. This so exasperated the novelist, who was very sensitive on the subject of authors' rights and quarreled frequently with editors and publishers, that he threatened to bring suit for damages; this action was averted by a public apology printed in the pages of the *Figaro*. The essay was a development at some length of ideas expressed by Maupassant in earlier articles, particularly in his letter to the *Gaulois* written in advance and explanation of the publication of *les Soirées de Médan,* and is an interesting statement of literary theory from the point of view of the Realists; but it provoked a counter-attack from the contemporary reviewers, whose critical methods it had called sharply into question. Ernest Boyd, the American translator and biographer of Maupassant, treats "le Roman" in too cavalier fashion when he says of it: "It was a very ponderous document to precede so short a novel, and one suspects that, had *Pierre et Jean* been longer, the volume would not have been padded out by such a dissertation." As a matter of fact, such padding was contrary to all of Maupassant's principles as an artist; he actually succeeded in packing into the twenty pages of his essay a number of very meaty and provocative statements on the score of novels, romantic and realistic, psychological and objective, of critics, style, diction and literary schools, as well as fine tributes to his teachers, Bouilhet and Flaubert.

One additional word as to Maupassant's technique as writer of novels and short-stories; his handful of plays, his travel-sketches and his essays in literary criticism call for no further comment, as they add but little to his literary stature. It must be admitted that there has been in recent years a definite attempt to whittle down this stature. Two objections are leveled against his fiction; the first is that his short-stories are too mechanical, written in accordance with a ritual worked out in the course of his career, including such elements as the surprise-ending, so dear to the heart of our own O. Henry, the recounting of incidents as remembered anecdotes by one person to a group seated in a drawing-room, a train-compartment, and so on; the second is that his fiction, both novel and short-story, is too unrelievedly gloomy, harsh, morbid, immoral. With reference to the first objection, we may admit occasional artificiality, chiefly in the stories written under high pressure; for Maupassant became at times a sort of fictional machine, grinding out weekly *feuilletons* for the newspapers and issuing volume upon volume each year to enable him to live in the style to which he had accustomed himself. He was, we are told, a very methodical craftsman, spending the hours from seven to twelve every morning at his desk and producing a daily average of six pages, and one need not hesitate to admit that his work was by no means uniformly good and that many of his stories are, indeed, of inferior quality. But the tales of the genuinely fecund years, from 1880 to 1885, are, for the most part, straightforward narratives which have the double merit of being both fascinatingly interesting, from the point of view of plot-construction, and magnificent sociological documents on those strata of French life of which Maupassant had first-hand knowledge. In fact, to the more mature reader, the actual plots of these stories, bitterly true or grimly amusing though they may be, fade into insignificance before the searing veracity of their social content. For stylistic vividness, for simplicity of diction which does not disdain, where necessary, to employ the humblest or the most plain-spoken expressions, for economy of both language and theme, Maupassant equaled, where he did not surpass, such of his predecessors in his own country as Mérimée and Flaubert, and he has rarely been matched since. The man who could write "Boule de Suif," "la Maison Tellier," "Toine" and "l'Infirme," whatever be one's opinion of the themes of these stories, the man whose pages fairly teem with life and with living human beings, would seem undeniably to belong, together with Boccaccio and La Fontaine, among the world's great *raconteurs*.

The second objection involves a consideration of Maupassant's philosophy of life. We may dispose at once, however, of the common notion that his writings are immoral, by making the inevitable distinction between immorality and pornography. Maupassant's serious work (and this includes everything he wrote with the exception of a few trifling and totally insignificant poems) is motivated by the frank attempt to look the facts of life squarely in the face; these facts and what he honestly believes to be hidden behind appearances, Maupassant sets down in a clean-cut and, above all, artistic manner. Questions of good and bad, of right and wrong, rarely concern him; he is interested in what is, not in what ought to be. He has no moral or sociological doctrines to preach; he is, insofar as it is possible for any writer to suppress his own individuality, objective and dispassionate. With this in mind, we may then freely admit that Maupassant's work is pervaded by a definite philosophy of life. This philosophy is thoroughly materialistic and pessimistic. Maupassant had no illusions about existence and human nature; like Zola and his other fellow-Naturalists, he considered all men fundamentally alike, beasts at bottom ruled by bestial instincts; unlike Zola, he saw no reason to suppose that men would ever cease to be beasts, so that there is in him not the slightest trace of the reformer. Zola's notion that man is essentially an animal but that he may hope to become an angel must have struck Maupassant as a ludicrous contradiction. As for death, Maupassant deemed it the end of everything: "le suprême Oubli," "la fin sans recommencement, le départ sans retour, l'adieu éternel à la terre, à la vie." Other tenets in his creed may be briefly stated: that individual and social conduct are universally governed by stupidity and self-interest and that no man can really know any one of his fellow men; that what we call Reality as well as all abstract concepts such as Beauty and Truth are but vain illusions (though, as a writer, he seems to have cherished such illusions); that Nature, lovely as she is in many of her manifestations, is indifferent, when not actually cruel; that God does not exist and that, consequently, there is no place for religions and theologies. In a word, as has been pointed out by the author of a brief study called *le Pessimisme de Maupassant,* the novelist arrived at a philosophy of absolute determinism which led ineluctably to nihilism, both moral and intellectual. It might be shown without difficulty that Maupassant does not apply this philosophy with anything like rigorous consistency to his own conduct and attitudes; and, as Anatole France has said of Leconte de Lisle, if he did not believe in his own reality, he probably believed firmly in that of his artistic creations. Be that as it may, and whatever may have been the physical factors underlying his outlook on life, Maupassant's work is basically sad, lacking in both faith and hope; nevertheless, one comes away from a perusal of his pages with the stimulating feeling that one has been face to face with a man of penetrating vision and powerful intellect.

What items, then, belong on the credit side of Maupassant's ledger? He was master of the art of story-telling, whether in short-story or in novel, to such an extent that writers ever since have been going to his work to learn the tricks of the trade. He peopled his stories with flesh-and-blood persons who represent a broad cross-section of the France of the eighteen-eighties. He sketched in his physical setting with an unfailing eye for significant detail and, in so doing, achieved many bits of effective description, especially of the landscapes of his native Normandy. He possessed a graphic, incisive style which makes many of his stories real gems of simple yet vigorous prose; his language, in the words of Anatole France, who could imagine no finer compliment to bestow upon it, is "du vrai français." His themes, though worked out in their application to individuals of all classes—peasant, soldier, government-clerk, merchant, noble, priest, tradesman and professional—concern themselves with universals and cover a wide range of human emotions. And, finally, he was not afraid to grapple with the problems that have exercised thinking men since the dawn of recorded history, and to offer his own answers to these problems. In the words of a student of French literature since 1875: "He kept a resolute eye on the truth as he saw it, and painted what he saw with a master's hand. It would be worse than idle to reproach him for not seeing more or seeing it differently. We should rather admire the patient courage with which he perfected his powers as an imaginative writer, and accomplished a mass of artistic work, which, in spite of its limitations, will always be a source of pleasure to the ordinary reader and of appreciative amazement to those who study the secrets of his craftsmanship." As for *Pierre et Jean,* we may characterize it, by way of conclusion, in the words of Zola, for whom it is "le joyau rare, l'œuvre de vérité et de grandeur qui ne peut être dépassée."

AARON SCHAFFER.

BIBLIOGRAPHICAL NOTE

The best edition of Maupassant, the one followed here, is that of the *Œuvres complètes* in twenty-nine volumes, published by Louis Conard, Paris, 1908-10. The text of the volume which contains *Pierre et Jean* and the prefatory essay, "le Roman," is based on that of the original edition of the novel, published by Paul Ollendorff, Paris, 1888. In the Conard edition, the text of *Pierre et Jean,* as is the case with the other novels, is followed by a note describing the original manuscript, with corrections in Maupassant's own hand, and recounting the history of its publication. Excerpts are then given from a letter of Maupassant to his mother and from *En regardant passer la vie,* by his friend, Mme Lecomte du Nouy. These are followed by a list of readings in the uncorrected form of the manuscript; for the most part, these involve only a few words, but some of the emendations, especially towards the end of the novel, are of considerable length. The variants, taken together, reveal the fact that Maupassant was a fluent, but at the same time, painstaking, writer. The Conard edition of *Pierre et Jean* comes to a close with citations from seven reviews of the novel appearing in Paris periodicals during the thirty days following its publication.

Bibliographical references on Maupassant are to be found in such manuals as those of Lanson and of Thieme, and he has been treated at length in numerous essays, in studies on French and world fiction and in histories of French literature. A more detailed, though far from complete, bibliography on Maupassant will be found appended to a study by Roy Allan Cox, entitled *Dom-*

inant Ideas in the Work of Guy de Maupassant (University of Colorado Studies, vol. XIX, no. 2, April 1932). A few additional volumes that will prove helpful to the student of Maupassant are listed below, in chronological order:

Albert Lumbroso: *Souvenirs sur Maupassant* (Rome, Bocca frères, 1905); contains a wealth of indispensable material.

Fritz Reuel: *Maupassant als Physiognomiker* (Marburg, 1906); the author of this doctoral dissertation discusses Maupassant's linking of physical traits to qualities of character, as in the case of the antithetical appearances and personalities of Pierre and Jean Roland.

Edouard Maynial: *la Vie et l'œuvre de Guy de Maupassant* (Paris, Mercure de France, 1907); this is the standard biography, and has been used, along with Lumbroso and the work of Ernest Boyd, for the biographical data in the Introduction of this edition.

Léon Gistucci: *le Pessimisme de Maupassant* (Lyon, Publications de l'Office Social, 1909).

Agnes Rutherford Riddell: *Flaubert and Maupassant —A Literary Relationship* (University of Chicago Press, 1920).

Cunliffe and de Bacourt: *French Literature During the Last Half-Century* (New York, MacMillan, 1923); contains an excellent chapter on Maupassant, who was personally know to the late Professor de Bacourt.

Ernest Boyd: *Guy de Maupassant* (New York, Knopf, 1926).

G. de Lacaze-Duthiers: *Guy de Maupassant, son œuvre* (Paris, Nouvelle revue critique, 1926).

Georges Normandy: *Maupassant* (Paris, Rasmussen, 1926).

Hermann Urtel: *Guy de Maupassant* (Munich, Hueber, 1926).

«LE ROMAN»

Je n'ai point l'intention de plaider ici pour le petit roman qui suit. Tout au contraire les idées que je vais essayer de faire comprendre entraîneraient plutôt la critique du genre d'étude psychologique que j'ai entrepris dans *Pierre et Jean.*

Je veux m'occuper du Roman en général.

Je ne suis pas le seul à qui le même reproche soit adressé par les mêmes critiques, chaque fois que paraît un livre nouveau.

Au milieu de phrases élogieuses, je trouve régulièrement celle-ci sous les mêmes plumes:

—Le plus grand défaut de cette œuvre, c'est qu'elle n'est pas un roman à proprement parler.

On pourrait répondre par le même argument.

—Le plus grand défaut de l'écrivain qui me fait l'honneur de me juger, c'est qu'il n'est pas un critique.

Quels sont en effet les caractères essentiels du critique?

Il faut que, sans parti pris, sans opinions préconçues, sans idées d'école, sans attaches avec aucune famille d'artistes, il comprenne, distingue et explique toutes les tendances les plus opposées, les tempéraments les plus contraires, et admette les recherches d'art les plus diverses.

Or, le critique qui, après *Manon Lescaut, Paul et Virginie, Don Quichotte, les Liaisons dangereuses, Werther, les Affinités électives, Clarisse Harlowe, Émile, Candide, Cinq-Mars, René, Les Trois Mousquetaires, Mauprat, le Père Goriot, la Cousine Bette, Colomba, le*

Rouge et le Noir, Mademoiselle de Maupin, Notre-Dame de Paris, Salammbô, Madame Bovary, Adolphe, M. de Camors, l'Assommoir, Sapho, etc., ose encore écrire: «Ceci est un roman et cela n'en est pas un», me paraît doué d'une perspicacité qui ressemble fort à de l'incompétence.

Généralement ce critique entend par roman une aventure plus ou moins vraisemblable, arrangée à la façon d'une pièce de théâtre en trois actes dont le premier contient l'exposition, le second l'action et le troisième le dénouement.

Cette manière de composer est absolument admissible à la condition qu'on acceptera également toutes les autres.

Existe-t-il des règles pour faire un roman, en dehors desquelles une histoire écrite devrait porter un autre nom?

Si *Don Quichotte* est un roman, le *Rouge et le Noir* en est-il un autre? Si *Monte-Cristo* est un roman, *l'Assommoir* en est-il un? Peut-on établir une comparaison entre les *Affinités électives* de Gœthe, les *Trois Mousquetaires* de Dumas, *Madame Bovary* de Flaubert, *M. de Camors* de M. O. Feuillet et *Germinal* de M. Zola? Laquelle de ces œuvres est un roman? Quelles sont ces fameuses règles? D'où viennent-elles? Qui les a établies? En vertu de quel principe, de quelle autorité et de quels raisonnements?

Il semble cependant que ces critiques savent d'une façon certaine, indubitable, ce qui constitue un roman et ce qui le distingue d'un autre qui n'en est pas un. Cela signifie tout simplement, que, sans être des producteurs, ils sont enrégimentés dans une école, et qu'ils rejettent, à la façon des romanciers eux-mêmes, toutes les œuvres conçues et exécutées en dehors de leur esthétique.

Un critique intelligent devrait, au contraire, rechercher tout ce qui ressemble le moins aux romans déjà faits, et pousser autant que possible les jeunes gens à tenter des voies nouvelles.

Tous les écrivains, Victor Hugo comme M. Zola, ont réclamé avec persistance le droit absolu, droit indiscutable, de composer, c'est-à-dire d'imaginer ou d'observer, suivant leur conception personnelle de l'art. Le talent provient de l'originalité, qui est une manière spéciale de penser, de voir, de comprendre et de juger. Or, le critique qui prétend définir le Roman suivant l'idée qu'il s'en fait d'après les romans qu'il aime, et établir certaines règles invariables de composition, luttera toujours contre un tempérament d'artiste apportant une manière nouvelle. Un critique, qui mériterait absolument ce nom, ne devrait être qu'un analyste sans tendances, sans préférences, sans passions, et, comme un expert en tableaux, n'apprécier que la valeur artiste de l'objet d'art qu'on lui soumet. Sa compréhension, ouverte à tout, doit absorber assez complètement sa personnalité pour qu'il puisse découvrir et vanter les livres même qu'il n'aime pas comme homme et qu'il doit comprendre comme juge.

Mais la plupart des critiques ne sont, en somme, que des lecteurs, d'où il résulte qu'ils nous gourmandent presque toujours à faux ou qu'ils nous complimentent sans réserve et sans mesure.

Le lecteur, qui cherche uniquement dans un livre à satisfaire la tendance naturelle de son esprit, demande à l'écrivain de répondre à son goût prédominant, et il qualifie invariablement de remarquable ou de *bien écrit* l'ouvrage ou le passage qui plaît à son imagination idéaliste, gaie, grivoise, triste, rêveuse ou positive.

En somme, le public est composé de groupes nombreux qui nous crient:

—Consolez-moi.

—Amusez-moi.

—Attristez-moi.

—Attendrissez-moi.

—Faites-moi rêver.

—Faites-moi rire.

—Faites-moi frémir.

—Faites-moi pleurer.

—Faites-moi penser.

Seuls, quelques esprits d'élite demandent à l'artiste:

—Faites-moi quelque chose de beau, dans la forme qui vous conviendra le mieux, suivant votre tempérament.

L'artiste essaie, réussit ou échoue.

Le critique ne doit apprécier le résultat que suivant la nature de l'effort; et il n'a pas le droit de se préoccuper des tendances.

Cela a été écrit déjà mille fois. Il faudra toujours le répéter.

Donc après les écoles littéraires qui ont voulu nous donner une vision déformée, surhumaine, poétique, attendrissante, charmante ou superbe de la vie, est venue une école réaliste ou naturaliste qui a prétendu nous montrer la vérité, rien que la vérité et toute la vérité.

Il faut admettre avec un égal intérêt ces théories d'art si différentes et juger les œuvres qu'elles produisent, uniquement au point de vue de leur valeur artistique en acceptant *a priori* les idées générales d'où elles sont nées.

Contester le droit d'un écrivain de faire une œuvre poétique ou une œuvre réaliste, c'est vouloir le forcer à modifier son tempérament, récuser son originalité, ne pas lui permettre de se servir de l'œil et de l'intelligence que la nature lui a donnés.

Lui reprocher de voir les choses belles ou laides, petites ou épiques, gracieuses ou sinistres, c'est lui reprocher d'être conformé de telle ou telle façon et de ne pas avoir une vision concordant avec la nôtre.

Laissons-le libre de comprendre, d'observer, de concevoir comme il lui plaira, pourvu qu'il soit un artiste.
Devenons poétiquement exaltés pour juger un idéaliste
et prouvons-lui que son rêve est médiocre, banal, pas
assez fou ou magnifique. Mais si nous jugeons un naturaliste, montrons-lui en quoi la vérité dans la vie dif-
fère de la vérité dans son livre.

Il est évident que des écoles si différentes ont dû employer des procédés de composition absolument opposés.

Le romancier qui transforme la vérité constante, brutale et déplaisante, pour en tirer une aventure excep-
tionnelle et séduisante, doit, sans souci exagéré de la
vraisemblance, manipuler les événements à son gré, les
préparer et les arranger pour plaire au lecteur, l'émouvoir ou l'attendrir. Le plan de son roman n'est qu'une sé-
rie de combinaisons ingénieuses conduisant avec adresse
au dénouement. Les incidents sont disposés et gra-
dués vers le point culminant et l'effet de la fin, qui est
un événement capital et décisif, satisfaisant toutes les
curiosités éveillées au début, mettant une barrière à l'intérêt, et terminant si complètement l'histoire racontée
qu'on ne désire plus savoir ce que deviendront, le lendemain, les personnages les plus attachants.

Le romancier, au contraire, qui prétend nous donner
une image exacte de la vie, doit éviter avec soin tout
enchaînement d'événements qui paraîtrait exceptionnel.
Son but n'est point de nous raconter une histoire, de
nous amuser ou de nous attendrir, mais de nous forcer
à penser, à comprendre le sens profond et caché des événements. A force d'avoir vu et médité il regarde l'univers, les choses, les faits et les hommes d'une certaine
façon qui lui est propre et qui résulte de l'ensemble de
ses observations réfléchies. C'est cette vision personnelle
du monde qu'il cherche à nous communiquer en la repro-
duisant dans un livre. Pour nous émouvoir, comme il l'a

été lui-même par le spectacle de la vie, il doit la reproduire devant nos yeux avec une scrupuleuse ressemblance. Il devra donc composer son œuvre d'une manière
si adroite, si dissimulée, et d'apparence si simple, qu'il
soit impossible d'en apercevoir et d'en indiquer le plan,
de découvrir ses intentions.

Au lieu de machiner une aventure et de la dérouler de
façon à la rendre intéressante jusqu'au dénouement, il
prendra son ou ses personnages à une certaine période
de leur existence et les conduira, par des transitions
naturelles, jusqu'à la période suivante. Il montrera de
cette façon, tantôt comment les esprits se modifient sous
l'influence des circonstances environnantes, tantôt comment se développent les sentiments et les passions, comment on s'aime, comment on se hait, comment on se com-
bat dans tous les milieux sociaux, comment luttent les
intérêts bourgeois, les intérêts d'argent, les intérêts de
famille, les intérêts politiques.

L'habileté de son plan ne consistera donc point dans
l'émotion ou dans le charme, dans un début attachant ou
dans une catastrophe émouvante, mais dans le groupe-
ment adroit de petits faits constants d'où se dégagera le
sens définitif de l'œuvre. S'il fait tenir dans trois cents
pages dix ans d'une vie pour montrer quelle a été, au
milieu de tous les êtres qui l'ont entourée, sa signification particulière et bien caractéristique, il devra savoir
éliminer, parmi les menus événements innombrables et
quotidiens tous ceux qui lui sont inutiles, et mettre en
lumière, d'une façon spéciale, tous ceux qui seraient demeurés inaperçus pour des observateurs peu clairvoyants
et qui donnent au livre sa portée, sa valeur d'ensemble.

On comprend qu'une semblable manière de composer,
si différente de l'ancien procédé visible à tous les yeux,
déroute souvent les critiques, et qu'ils ne découvrent pas
tous les fils si minces, si secrets, presque invisibles, em-

ployés par certains artistes modernes à la place de la
ficelle unique qui avait nom : l'Intrigue.

En somme, si le Romancier d'hier choisissait et racontait les crises de la vie, les états aigus de l'âme et du
cœur, le Romancier d'aujourd'hui écrit l'histoire du cœur,
de l'âme et de l'intelligence à l'état normal. Pour produire l'effet qu'il poursuit, c'est-à-dire l'émotion de la
simple réalité et pour dégager l'enseignement artistique
qu'il en veut tirer, c'est-à-dire la révélation de ce qu'est
véritablement l'homme contemporain devant ses yeux, il
devra n'employer que des faits d'une vérité irrécusable
et constante.

Mais en se plaçant au point de vue même de ces artistes réalistes, on doit discuter et contester leur théorie
qui semble pouvoir être résumée par ces mots : «Rien que
la vérité et toute la vérité.»

Leur intention étant de dégager la philosophie de
certains faits constants et courants, ils devront souvent
corriger les événements au profit de la vraisemblance et
au détriment de la vérité, car

Le vrai peut quelquefois n'être pas vraisemblable.

Le réaliste, s'il est un artiste, cherchera, non pas à
nous montrer la photographie banale de la vie, mais à
nous en donner la vision plus complète, plus saisissante,
plus probante que la réalité même.

Raconter tout serait impossible, car il faudrait alors
un volume au moins par journée, pour énumérer les
multitudes d'incidents insignifiants qui emplissent notre
existence.

Un choix s'impose donc,—ce qui est une première at-
teinte à la théorie de toute la vérité.

La vie, en outre, est composée des choses les plus
différentes, les plus imprévues, les plus contraires, les
plus disparates ; elle est brutale, sans suite, sans chaîne,

pleine de catastrophes inexplicables, illogiques et con-
tradictoires qui doivent être classées au chapitre *faits
divers.*

Voilà pourquoi l'artiste, ayant choisi son thème, ne
prendra dans cette vie encombrée de hasards et de futili-
tés que les détails caractéristiques utiles à son sujet, et
il rejettera tout le reste, tout l'à-côté.

Un exemple entre mille:

Le nombre des gens qui meurent chaque jour par accident est considérable sur la terre. Mais pouvons-nous
faire tomber une tuile sur la tête d'un personnage principal, ou le jeter sous les roues d'une voiture, au milieu
d'un récit, sous prétexte qu'il faut faire la part de l'accident?

La vie encore laisse tout au même plan, précipite les
faits ou les traîne indéfiniment. L'art, au contraire, consiste à user de précautions et de préparations, à ménager
des transitions savantes et dissimulées, à mettre en pleine
lumière, par la seule adresse de la composition, les événements essentiels et à donner à tous les autres le degré
de relief qui leur convient, suivant leur importance, pour
produire la sensation profonde de la vérité spéciale qu'on
veut montrer.

Faire vrai consiste donc à donner l'illusion complète
du vrai, suivant la logique ordinaire des faits, et non à
les transcrire servilement dans le pêle-mêle de leur suc-
cession.

J'en conclus que les Réalistes de talent devraient
s'appeler plutôt des Illusionnistes.

Quel enfantillage, d'ailleurs, de croire à la réalité puisque nous portons chacun la nôtre dans notre pensée et
dans nos organes. Nos yeux, nos oreilles, notre odorat,
notre goût différents créent autant de vérités qu'il y a
d'hommes sur la terre. Et nos esprits qui reçoivent les
instructions de ces organes, diversement impressionnés,

comprennent, analysent et jugent comme si chacun de nous appartenait à une autre race.

Chacun de nous se fait donc simplement une illusion du monde, illusion poétique, sentimentale, joyeuse, mélancolique, sale ou lugubre suivant sa nature. Et l'écrivain n'a d'autre mission que de reproduire fidèlement cette illusion avec tous les procédés d'art qu'il a appris et dont il peut disposer.

Illusion du beau qui est une convention humaine! Illusion du laid qui est une opinion changeante! Illusion du vrai jamais immuable! Illusion de l'ignoble qui attire tant d'êtres! Les grands artistes sont ceux qui imposent à l'humanité leur illusion particulière.

Ne nous fâchons donc contre aucune théorie puisque chacune d'elles est simplement l'expression généralisée d'un tempérament qui s'analyse.

Il en est deux surtout qu'on a souvent discutées en les opposant l'une à l'autre au lieu de les admettre l'une et l'autre: celle du roman d'analyse pure et celle du roman objectif. Les partisans de l'analyse demandent que l'écrivain s'attache à indiquer les moindres évolutions d'un esprit et tous les mobiles les plus secrets qui déterminent nos actions, en n'accordant au fait lui-même qu'une importance très secondaire. Il est le point d'arrivée, une simple borne, le prétexte du roman. Il faudrait donc, d'après eux, écrire ces œuvres précises et rêvées où l'imagination se confond avec l'observation, à la manière d'un philosophe composant un livre de psychologie, exposer les causes en les prenant aux origines les plus lointaines, dire tous les pourquoi de tous les vouloirs et discerner toutes les réactions de l'âme agissant sous l'impulsion des intérêts, des passions ou des instincts.

Les partisans de l'objectivité (quel vilain mot!) prétendant, au contraire, nous donner la représentation

exacte de ce qui a lieu dans la vie, évitent avec soin toute
explication compliquée, toute dissertation sur les motifs,
et se bornent à faire passer sous nos yeux les personnages et les événements.

Pour eux, la psychologie doit être cachée dans le livre
comme elle est cachée en réalité sous les faits dans l'existence.

Le roman conçu de cette manière y gagne de l'intérêt,
du mouvement dans le récit, de la couleur, de la vie
remuante.

Donc, au lieu d'expliquer longuement l'état d'esprit
d'un personnage, les écrivains objectifs cherchent l'action
ou le geste que cet état d'âme doit faire accomplir fatalement à cet homme dans une situation déterminée. Et ils
le font se conduire de telle manière, d'un bout à l'autre
du volume, que tous ses actes, tous ses mouvements,
soient le reflet de sa nature intime, de toutes ses pensées,
de toutes ses volontés ou de toutes ses hésitations. Ils
cachent donc la psychologie au lieu de l'étaler, ils en
font la carcasse de l'œuvre, comme l'ossature invisible
est la carcasse du corps humain. Le peintre qui fait
notre portrait ne montre pas notre squelette.

Il me semble aussi que le roman exécuté de cette façon
y gagne en sincérité. Il est d'abord plus vraisemblable,
car les gens que nous voyons agir autour de nous ne nous
racontent point les mobiles auxquels ils obéissent.

Il faut ensuite tenir compte de ce que, si, à force
d'observer les hommes, nous pouvons déterminer leur
nature assez exactement pour prévoir leur manière d'être
dans presque toutes les circonstances, si nous pouvons
dire avec précision: «Tel homme de tel tempérament,
dans tel cas, fera ceci», il ne s'ensuit point que nous
puissions déterminer, une à une, toutes les secrètes évolutions de sa pensée qui n'est pas la nôtre, toutes les

mystérieuses sollicitations de ses instincts qui ne sont pas pareils aux nôtres, toutes les incitations confuses de sa nature dont les organes, les nerfs, le sang, la chair, sont différents des nôtres.

Quel que soit le génie d'un homme faible, doux, sans passions, aimant uniquement la science et le travail, jamais il ne pourra se transporter assez complètement dans l'âme et dans le corps d'un gaillard exubérant, sensuel, violent, soulevé par tous les désirs et même par tous les vices, pour comprendre et indiquer les impulsions et les sensations les plus intimes de cet être si différent, alors même qu'il peut fort bien prévoir et raconter tous les actes de sa vie.

En somme, celui qui fait de la psychologie pure ne peut que se substituer à tous ses personnages dans les différentes situations où il les place, car il lui est impossible de changer ses organes, qui sont les seuls intermédiaires entre la vie extérieure et nous, qui nous imposent leurs perceptions, déterminent notre sensibilité, créent en nous une âme essentiellement différente de toutes celles qui nous entourent. Notre vision, notre connaissance du monde acquise par le secours de nos sens, nos idées sur la vie, nous ne pouvons que les transporter en partie dans tous les personnages dont nous prétendons dévoiler l'être intime et inconnu. C'est donc toujours nous que nous montrons dans le corps d'un roi, d'un assassin, d'un voleur ou d'un honnête homme, d'une courtisane, d'une religieuse, d'une jeune fille ou d'une marchande aux halles, car nous sommes obligés de nous poser ainsi le problème: «Si *j'*étais roi, assassin, voleur, courtisane, religieuse, jeune fille ou marchande aux halles, qu'est-ce que *je* ferais, qu'est-ce que *je* penserais, comment est-ce que j'agirais?» Nous ne diversifions donc nos personnages qu'en changeant l'âge, le sexe, la

situation sociale et toutes les circonstances de la vie de
notre *moi* que la nature a entouré d'une barrière d'organes infranchissable.

L'adresse consiste à ne pas laisser reconnaître ce *moi*
par le lecteur sous tous les masques divers qui nous ser-
vent à le cacher.

Mais si, au seul point de vue de la complète exactitude,
la pure analyse psychologique est contestable, elle peut
cependant nous donner des œuvres d'art aussi belles que
toutes les autres méthodes de travail.

Voici, aujourd'hui, les symbolistes. Pourquoi pas?
Leur rêve d'artistes est respectable; et ils ont cela de
particulièrement intéressant qu'ils savent et qu'ils pro-
clament l'extrême difficulté de l'art.

Il faut être, en effet, bien fou, bien audacieux, bien
outrecuidant ou bien sot, pour écrire encore aujourd'hui!
Après tant de maîtres aux natures si variées, au génie
si multiple, que reste-t-il à faire qui n'ait été fait, que
reste-t-il à dire qui n'ait été dit? Qui ·peut se vanter,
parmi nous, d'avoir écrit une page, une phrase qui ne se
trouve déjà, à peu près pareille, quelque part? Quand
nous lisons, nous, si saturés d'écriture française que
notre corps entier nous donne l'impression d'être une
pâte faite avec des mots, trouvons-nous jamais une ligne,
une pensée qui ne nous soit familière, dont nous n'ayons
eu, au moins, le confus pressentiment?

L'homme qui cherche seulement à amuser son public
par des moyens déjà connus, écrit avec confiance, dans
la candeur de sa médiocrité, des œuvres destinées à la
foule ignorante et désœuvrée. Mais ceux sur qui pèsent
tous les siècles de la littérature passée, ceux que rien ne
satisfait, que tout dégoûte parce qu'ils rêvent mieux, à
qui tout semble défloré déjà, à qui leur œuvre donne
toujours l'impression d'un travail inutile et commun, en
arrivent à juger l'art littéraire une chose insaisissable,

mystérieuse, que nous dévoilent à peine quelques pages des plus grands maîtres.

Vingt vers, vingt phrases, lus tout à coup nous font tressaillir jusqu'au cœur comme une révélation surprenante; mais les vers suivants ressemblent à tous les vers, la prose qui coule ensuite ressemble à toutes les proses.

Les hommes de génie n'ont point, sans doute, ces angoisses et ces tourments, parce qu'ils portent en eux une force créatrice irrésistible. Ils ne se jugent pas eux-mêmes. Les autres, nous autres qui sommes simplement des travailleurs conscients et tenaces, nous ne pouvons lutter contre l'invincible découragement que par la continuité de l'effort.

Deux hommes par leurs enseignements simples et lumineux m'ont donné cette force de toujours tenter: Louis Bouilhet et Gustave Flaubert.

Si je parle ici d'eux et de moi, c'est que leurs conseils, résumés en peu de lignes, seront peut-être utiles à quelques jeunes gens moins confiants en eux-mêmes qu'on ne l'est d'ordinaire quand on débute dans les lettres.

Bouilhet, que je connus le premier d'une façon un peu intime, deux ans environ avant de gagner l'amitié de Flaubert, à force de me répéter que cent vers, peut-être moins, suffisent à la réputation d'un artiste, s'ils sont irréprochables et s'ils contiennent l'essence du talent et de l'originalité d'un homme même de second ordre, me fit comprendre que le travail continuel et la connaissance profonde du métier peuvent, un jour de lucidité, de puissance et d'entraînement, par la rencontre heureuse d'un sujet concordant bien avec toutes les tendances de notre esprit, amener cette éclosion de l'œuvre courte, unique et aussi parfaite que nous la pouvons produire.

Je compris ensuite que les écrivains les plus connus n'ont presque jamais laissé plus d'un volume et qu'il faut, avant tout, avoir cette chance de trouver et de dis-

cerner, au milieu de la multitude des matières qui se
présentent à notre choix, celle qui absorbera toutes nos
facultés, toute notre valeur, toute notre puissance artiste.

Plus tard, Flaubert, que je voyais quelquefois, se prit
d'affection pour moi. J'osai lui soumettre quelques essais.
Il les lut avec bonté et me répondit: «Je ne sais pas si
vous aurez du talent. Ce que vous m'avez apporté prouve
une certaine intelligence, mais n'oubliez point ceci, jeune
homme, que le talent—suivant le mot de Buffon—n'est
qu'une longue patience. Travaillez.»

Je travaillai, et je revins souvent chez lui, comprenant
que je lui plaisais, car il s'était mis à m'appeler, en riant,
son disciple.

Pendant sept ans je fis des vers, je fis des contes, je
fis des nouvelles, je fis même un drame détestable. Il n'en
est rien resté. Le maître lisait tout, puis le dimanche
suivant, en déjeunant, développait ses critiques et
enfonçait en moi, peu à peu, deux ou trois principes qui
sont le résumé de ses longs et patients enseignements.
«Si on a une originalité, disait-il, il faut avant tout la
dégager; si on n'en a pas, il faut en acquérir une.»

—Le talent est une longue patience.—Il s'agit de regarder tout ce qu'on veut exprimer assez longtemps et
avec assez d'attention pour en découvrir un aspect qui
n'ait été vu et dit par personne. Il y a, dans tout, de
l'inexploré, parce que nous sommes habitués à ne nous
servir de nos yeux qu'avec le souvenir de ce qu'on a
pensé avant nous sur ce que nous contemplons. La
moindre chose contient un peu d'inconnu. Trouvons-le.
Pour décrire un feu qui flambe et un arbre dans une
plaine, demeurons en face de ce feu et de cet arbre
jusqu'à ce qu'ils ne ressemblent plus, pour nous, à aucun
autre arbre et à aucun autre feu.

C'est de cette façon qu'on devient original.

Ayant, en outre, posé cette vérité qu'il n'y a pas, de

par le monde entier, deux grains de sable, deux mouches, deux mains ou deux nez absolument pareils, il me forçait à exprimer, en quelques phrases, un être ou un objet de manière à le particulariser nettement, à le distinguer de tous les autres êtres ou de tous les autres objets de même race ou de même espèce.

«Quand vous passez, me disait-il, devant un épicier assis sur sa porte, devant un concierge qui fume sa pipe, devant une station de fiacres, montrez-moi cet épicier et ce concierge, leur pose, toute leur apparence physique contenant aussi, indiquée par l'adresse de l'image, toute leur nature morale, de façon à ce que je ne les confonde avec aucun autre épicier ou avec aucun autre concierge, et faites-moi voir, par un seul mot, en quoi un cheval de fiacre ne ressemble pas aux cinquante autres qui le suivent et le précédent.»

J'ai développé ailleurs ses idées sur le style. Elles ont de grands rapports avec la théorie de l'observation que je viens d'exposer.

Quelle que soit la chose qu'on veut dire, il n'y a qu'un mot pour l'exprimer, qu'un verbe pour l'animer et qu'un adjectif pour la qualifier. Il faut donc chercher, jusqu'à ce qu'on les ait découverts, ce mot, ce verbe et cet adjectif, et ne jamais se contenter de l'à peu près, ne jamais avoir recours à des supercheries, même heureuses, à des clowneries de langage pour éviter la difficulté.

On peut traduire et indiquer les choses les plus subtiles en appliquant ce vers de Boileau:

> D'un mot mis en sa place enseigna le pouvoir.

Il n'est point besoin du vocabulaire bizarre, compliqué, nombreux et chinois qu'on nous impose aujourd'hui sous le nom d'écriture artiste, pour fixer toutes les nuances de la pensée; mais il faut discerner avec une extrême lucidité toutes les modifications de la valeur d'un mot suivant la place qu'il occupe. Ayons moins de noms, de verbes et d'adjectifs aux sens presque insaisissables, mais plus de phrases différentes, diversement construites, ingénieusement coupées, pleines de sonorités et de rythmes savants. Efforçons-nous d'être des stylistes excellents plutôt que des collectionneurs de termes rares.

Il est, en effet, plus difficile de manier la phrase à son gré, de lui faire tout dire, même ce qu'elle n'exprime pas, de l'emplir de sous-entendus, d'intentions secrètes et non formulées, que d'inventer des expressions nouvelles ou de rechercher, au fond de vieux livres inconnus, toutes celles dont nous avons perdu l'usage et la signification, et qui sont pour nous comme des verbes morts.

La langue française, d'ailleurs, est une eau pure que les écrivains maniérés n'ont jamais pu et ne pourront jamais troubler. Chaque siècle a jeté dans ce courant limpide ses modes, ses archaïsmes prétentieux et ses préciosités, sans que rien surnage de ces tentatives inutiles, de ces efforts impuissants. La nature de cette langue est d'être claire, logique et nerveuse. Elle ne se laisse pas affaiblir, obscurcir ou corrompre.

Ceux qui font aujourd'hui des images, sans prendre garde aux termes abstraits, ceux qui font tomber la grêle ou la pluie sur la *propreté* des vitres, peuvent aussi jeter des pierres à la simplicité de leurs confrères! Elles frapperont peut-être les confrères qui ont un corps, mais n'atteindront jamais la simplicité qui n'en a pas.

Guy de Maupassant.

La Guillette, Étretat; septembre 1887.

PIERRE ET JEAN

I

Zut! s'écria tout à coup le père Roland, qui depuis un quart d'heure demeurait immobile, les yeux fixés sur l'eau, et soulevant par moments, d'un mouvement très léger, sa ligne descendue au fond de la mer.

Mme Roland, assoupie à l'arrière du bateau, à côté de Mme Rosémilly invitée à cette partie de pêche, se réveilla, et tournant la tête vers son mari:

—Eh bien!... eh bien!... Gérôme!

Le bonhomme, furieux, répondit:

—Ça ne mord plus du tout. Depuis midi je n'ai rien pris. On ne devrait jamais pêcher qu'entre hommes; les femmes vous font embarquer toujours trop tard.

Ses deux fils, Pierre et Jean, qui tenaient, l'un à bâbord, l'autre à tribord, chacun une ligne enroulée à l'index, se mirent à rire en même temps et Jean répondit:

—Tu n'es pas galant pour notre invitée, papa.

M. Roland fut confus et s'excusa:

—Je vous demande pardon, madame Rosémilly, je suis comme ça. J'invite des dames parce que j'aime me trouver avec elles, et puis, dès que je sens de l'eau sous moi, je ne pense plus qu'au poisson.

Mme Roland s'était tout à fait réveillée et regardait d'un air attendri le large horizon de falaises et de mer. Elle murmura:

—Vous avez cependant fait une belle pêche.

Mais son mari remuait la tête pour dire non, tout en jetant un coup d'œil bienveillant sur le panier où le poisson capturé par les trois hommes palpitait vague-

3

ment encore, avec un bruit doux d'écailles gluantes et de nageoires soulevées, d'efforts impuissants et mous, et de bâillements dans l'air mortel.

Le père Roland saisit la manne entre ses genoux, la pencha, fit couler jusqu'au bord le flot d'argent des bêtes pour voir celles du fond, et leur palpitation d'agonie s'accentua, et l'odeur forte de leur corps, une saine puanteur de marée, monta du ventre plein de la corbeille.

Le vieux pêcheur la huma vivement, comme on sent des roses, et déclara:

—Cristi! ils sont frais, ceux-là!

Puis il continua:

—Combien en as-tu pris, toi, docteur?

Son fils aîné, Pierre, un homme de trente ans à favoris noirs coupés comme ceux des magistrats, moustaches et menton rasés, répondit:

—Oh! pas grand'chose, trois ou quatre.

Le père se tourna vers le cadet:

—Et toi, Jean?

Jean, un grand garçon blond, très barbu, beaucoup plus jeune que son frère, sourit et murmura:

—A peu près comme Pierre, quatre ou cinq.

Ils faisaient, chaque fois, le même mensonge qui ravissait le père Roland.

Il avait enroulé son fil au tolet d'un aviron, et croisant ses bras il annonça:

—Je n'essayerai plus jamais de pêcher l'après-midi. Une fois dix heures passées, c'est fini. Il ne mord plus, le gredin, il fait la sieste au soleil.

Le bonhomme regardait la mer autour de lui avec un air satisfait de propriétaire.

C'était un ancien bijoutier parisien qu'un amour immodéré de la navigation et de la pêche avait arraché au comptoir dès qu'il eut assez d'aisance pour vivre modestement de ses rentes.

Il se retira donc au Havre, acheta une barque et devint matelot amateur. Ses deux fils, Pierre et Jean, restèrent à Paris pour continuer leurs études et vinrent en congé de temps en temps partager les plaisirs de leur père.

A la sortie du collège, l'aîné, Pierre, de cinq ans plus âgé que Jean, s'étant senti successivement de la vocation pour des professions variées, en avait essayé, l'une après l'autre, une demi-douzaine, et, vite dégoûté de chacune, se lançait aussitôt dans de nouvelles espérances.

En dernier lieu la médecine l'avait tenté, et il s'était mis au travail avec tant d'ardeur qu'il venait d'être reçu docteur après d'assez courtes études et des dispenses de temps obtenues du ministre. Il était exalté, intelligent, changeant et tenace, plein d'utopies et d'idées philosophiques.

Jean, aussi blond que son frère était noir, aussi calme que son frère était emporté, aussi doux que son frère était rancunier, avait fait tranquillement son droit et venait d'obtenir son diplôme de licencié en même temps que Pierre obtenait celui de docteur.

Tous les deux prenaient donc un peu de repos dans leur famille, et tous les deux formaient le projet de s'établir au Havre s'ils parvenaient à le faire dans des conditions satisfaisantes.

Mais une vague jalousie, une de ces jalousies dormantes qui grandissent presque invisibles entre frères ou entre sœurs jusqu'à la maturité et qui éclatent à l'occasion d'un mariage ou d'un bonheur tombant sur l'un, les tenait en éveil dans une fraternelle et inoffensive inimitié. Certes ils s'aimaient, mais ils s'épiaient. Pierre, âgé de cinq ans à la naissance de Jean, avait regardé avec une hostilité de petite bête gâtée cette autre petite bête apparue tout à coup dans les bras de son père et de sa mère, et tant aimée, tant caressée par eux.

Jean, dès son enfance, avait été un modèle de douceur, de bonté et de caractère égal; et Pierre s'était énervé, peu à peu, à entendre vanter sans cesse ce gros garçon dont la douceur lui semblait être de la mollesse, la bonté de la niaiserie et la bienveillance de l'aveuglement. Ses parents, gens placides, qui rêvaient pour leurs fils des situations honorables et médiocres, lui reprochaient ses indécisions, ses enthousiasmes, ses tentatives avortées, tous ses élans impuissants vers des idées généreuses et vers des professions décoratives.

Depuis qu'il était homme, on ne lui disait plus: «Regarde Jean et imite-le!» mais chaque fois qu'il entendait répéter: «Jean a fait ceci, Jean a fait cela,» il comprenait bien le sens et l'allusion cachés sous ces paroles.

Leur mère, une femme d'ordre, une économe bourgeoise un peu sentimentale, douée d'une âme tendre de caissière, apaisait sans cesse les petites rivalités nées chaque jour entre ses deux grands fils, de tous les menus faits de la vie commune. Un léger événement, d'ailleurs, troublait en ce moment sa quiétude, et elle craignait une complication, car elle avait fait la connaissance pendant l'hiver, pendant que ses enfants achevaient l'un et l'autre leurs études spéciales, d'une voisine, Mme Rosémilly, veuve d'un capitaine au long cours, mort à la mer deux ans auparavant. La jeune veuve, toute jeune, vingt-trois ans, une maîtresse femme qui connaissait l'existence d'instinct, comme un animal libre, comme si elle eût vu, subi, compris et pesé tous les événements possibles, qu'elle jugeait avec un esprit sain, étroit et bienveillant, avait pris l'habitude de venir faire un bout de tapisserie et de causette, le soir, chez ces voisins aimables qui lui offraient une tasse de thé.

Le père Roland, que sa manie de pose marine aiguillonnait sans cesse, interrogeait leur nouvelle amie sur le défunt capitaine, et elle parlait de lui, de ses voyages,

de ses anciens récits, sans embarras, en femme raisonnable et résignée qui aime la vie et respecte la mort.

Les deux fils, à leur retour, trouvant cette jolie veuve
installée dans la maison, avaient aussitôt commencé à la
courtiser, moins par désir de lui plaire que par envie de
se supplanter.

Leur mère, prudente et pratique, espérait vivement
qu'un des deux triompherait, car la jeune femme était
riche, mais elle aurait aussi bien voulu que l'autre n'en
eût point de chagrin.

Mme Rosémilly était blonde avec des yeux bleus, une
couronne de cheveux follets envolés à la moindre brise
et un petit air crâne, hardi, batailleur, qui ne concordait
point du tout avec la sage méthode de son esprit.

Déjà elle semblait préférer Jean, portée vers lui par
une similitude de nature. Cette préférence d'ailleurs ne
se montrait que par une presque insensible différence
dans la voix et le regard, et en ceci encore qu'elle prenait
quelquefois son avis.

Elle semblait deviner que l'opinion de Jean fortifierait
la sienne propre, tandis que l'opinion de Pierre devait
fatalement lui être différente. Quand elle parlait des
idées du docteur, de ses idées politiques, artistiques,
philosophiques, morales, elle disait par moments: «Vos
billevesées.» Alors, il la regardait d'un regard froid de
magistrat qui instruit le procès des femmes, de toutes les
femmes, ces pauvres êtres !

Jamais, avant le retour de ses fils, le père Roland ne
l'avait invitée à ses parties de pêche où il n'emmenait
jamais non plus sa femme, car il aimait à s'embarquer
avant le jour, avec le capitaine Beausire, un long-courrier retraité, rencontré aux heures de marée sur le port
et devenu intime ami, et le vieux matelot Papagris, surnommé Jean-Bart, chargé de la garde du bateau.

Or, un soir de la semaine précédente, comme Mme

Rosémilly qui avait dîné chez lui disait: «Ça doit être très amusant, la pêche?» l'ancien bijoutier, flatté dans sa passion, et saisi de l'envie de la communiquer, de faire des croyants à la façon des prêtres, s'écria:

—Voulez-vous y venir?

—Mais oui.

—Mardi prochain?

—Oui, mardi prochain.

—Etes-vous femme à partir à cinq heures du matin?

Elle poussa un cri de stupeur:

—Ah! mais non, par exemple.

Il fut désappointé, refroidi, et il douta tout à coup de cette vocation.

Il demanda cependant:

—A quelle heure pourriez-vous partir?

—Mais . . . à neuf heures!

—Pas avant?

—Non, pas avant, c'est déjà très tôt!

Le bonhomme hésitait. Assurément on ne prendrait rien, car si le soleil chauffe, le poisson ne mord plus, mais les deux frères s'étaient empressés d'arranger la partie, de tout organiser et de tout régler séance tenante.

Donc, le mardi suivant, la *Perle* avait été jeter l'ancre sous les rochers blancs du cap de la Hève; et on avait pêché jusqu'à midi, puis sommeillé, puis repêché, sans rien prendre, et le père Roland, comprenant un peu tard que Mme Rosémilly n'aimait et n'appréciait en vérité que la promenade en mer, et voyant que ses lignes ne tressaillaient plus, avait jeté, dans un mouvement d'impatience irraisonnée, un *zut* énergique qui s'adressait autant à la veuve indifférente qu'aux bêtes insaisissables.

Maintenant il regardait le poisson capturé, son poisson, avec une joie vibrante d'avare; puis il leva les yeux vers le ciel, remarqua que le soleil baissait:

—Eh bien! les enfants, dit-il, si nous revenions un peu?

Tous deux tirèrent leurs fils, les roulèrent, accrochèrent dans les bouchons de liège les hameçons nettoyés et attendirent.

Roland s'était levé pour interroger l'horizon à la façon d'un capitaine:

—Plus de vent, dit-il, on va ramer, les gars!

Et soudain, le bras allongé vers le nord, il ajouta:

—Tiens, tiens, le bateau de Southampton.

Sur la mer plate, tendue comme une étoffe bleue, immense, luisante, aux reflets d'or et de feu, s'élevait là-bas, dans la direction indiquée, un nuage noirâtre sur le ciel rose. Et on apercevait, au-dessous, le navire qui semblait tout petit de si loin.

Vers le sud on voyait encore d'autres fumées, nombreuses, venant toutes vers la jetée du Havre dont on distinguait à peine la ligne blanche et le phare, droit comme une corne sur le bout.

Roland demanda:

—N'est-ce pas aujourd'hui que doit entrer la *Normandie?*

Jean répondit:

—Oui, papa.

—Donne-moi ma longue-vue, je crois que c'est belle, là-bas.

Le père déploya le tube de cuivre, l'ajusta contre son œil, chercha le point, et soudain, ravi d'avoir vu:

—Oui, oui, c'est elle, je reconnais ses deux cheminées. Voulez-vous regarder, madame Rosémilly?

Elle prit l'objet qu'elle dirigea vers le transatlantique lointain, sans parvenir sans doute à le mettre en face de lui, car elle ne distinguait rien, rien que du bleu, avec un cercle de couleur, un arc-en-ciel tout rond, et puis des choses bizarres, des espèces d'éclipses, qui lui faisaient tourner le cœur.

Elle dit en rendant la longue-vue:

—D'ailleurs je n'ai jamais su me servir de cet instrument-là. Ça mettait même en colère mon mari qui restait des heures à la fenêtre à regarder passer les navires.

Le père Roland, vexé, reprit:

—Ça doit tenir à un défaut de votre œil, car ma lunette est excellente.

Puis il l'offrit à sa femme:

—Veux-tu voir?

—Non, merci, je sais d'avance que je ne pourrais pas.

Mme Roland, une femme de quarante-huit ans et qui ne les portait pas, semblait jouir, plus que tout le monde, de cette promenade et de cette fin de jour.

Ses cheveux châtains commençaient seulement à blanchir. Elle avait un air calme et raisonnable, un air heureux et bon qui plaisait à voir. Selon le mot de son fils Pierre, elle savait le prix de l'argent, ce qui ne l'empêchait point de goûter le charme du rêve. Elle aimait les lectures, les romans et les poésies, non pour leur valeur d'art, mais pour la songerie mélancolique et tendre qu'ils éveillaient en elle. Un vers, souvent banal, souvent mauvais, faisait vibrer la petite corde, comme elle disait, lui donnait la sensation d'un désir mystérieux presque réalisé. Et elle se complaisait à ces émotions légères qui troublaient un peu son âme bien tenue comme un livre de comptes.

Elle prenait, depuis son arrivée au Havre, un embonpoint assez visible qui alourdissait sa taille autrefois très souple et très mince.

Cette sortie en mer l'avait ravie. Son mari, sans être méchant, la rudoyait comme rudoient sans colère et sans haine les despotes en boutique pour qui commander équivaut à jurer. Devant tout étranger il se tenait, mais dans sa famille il s'abandonnait et se donnait des airs terribles, bien qu'il eût peur de tout le monde. Elle, par horreur du bruit, des scènes, des explications inutiles, cédait toujours et ne demandait jamais rien; aussi n'osait-elle plus, depuis bien longtemps, prier Roland de la promener en mer. Elle avait donc saisi avec joie cette occasion, et elle savourait ce plaisir rare et nouveau.

Depuis le départ elle s'abandonnait tout entière, tout son esprit et toute sa chair, à ce doux glissement sur l'eau. Elle ne pensait point, elle ne vagabondait ni dans les souvenirs ni dans les espérances, il lui semblait que son cœur flottait comme son corps sur quelque chose de moelleux, de fluide, de délicieux, qui la berçait et l'engourdissait.

Quand le père commanda le retour: «Allons, en place pour la nage!» elle sourit en voyant ses fils, ses deux grands fils, ôter leurs jacquettes et relever sur leurs bras nus les manches de leur chemise.

Pierre, le plus rapproché des deux femmes, prit l'aviron de tribord, Jean l'aviron de bâbord, et ils attendirent que le patron criât: «Avant partout!» car il tenait à ce que les manœuvres fussent exécutées régulièrement.

Ensemble, d'un même effort, ils laissèrent tomber les rames puis se couchèrent en arrière en tirant de toutes leurs forces; et une lutte commença pour montrer leur vigueur. Ils étaient venus à la voile tout doucement, mais la brise était tombée et l'orgueil de mâles des deux frères s'éveilla tout à coup à la perspective de se mesurer l'un contre l'autre.

Quand ils allaient pêcher seuls avec le père, ils ramaient ainsi sans que personne gouvernât, car Roland préparait les lignes tout en surveillant la marche de l'embarcation, qu'il dirigeait d'un geste ou d'un mot: «Jean, mollis.»—«A toi, Pierre, souque.» Ou bien il disait: «Allons le *un,* allons le *deux,* un peu d'huile de bras.» Celui qui rêvassait tirait plus fort, celui qui s'emballait devenait moins ardent, et le bateau se redressait.

Aujourd'hui ils allaient montrer leurs biceps. Les bras de Pierre étaient velus, un peu maigres, mais nerveux; ceux de Jean gras et blancs, un peu roses, avec une bosse de muscles qui roulait sous la peau.

Pierre eut d'abord l'avantage. Les dents serrées, le front plissé, les jambes tendues, les mains crispées sur l'aviron, il le faisait plier dans toute sa longueur à chacun de ses efforts; et la *Perle* s'en venait vers la côte. Le père Roland, assis à l'avant afin de laisser tout le banc d'arrière aux deux femmes, s'époumonait à commander: «Doucement, le *un*—souque le *deux*.» Le *un* redoublait de rage et le *deux* ne pouvait répondre à cette nage désordonnée.

Le patron, enfin, ordonna: «Stop!» Les deux rames se levèrent ensemble, et Jean, sur l'ordre de son père, tira seul quelques instants. Mais à partir de ce moment l'avantage lui resta; il s'animait, s'échauffait, tandis que Pierre, essoufflé, épuisé par sa crise de vigueur, faiblissait et haletait. Quatre fois de suite, le père Roland fit stopper pour permettre à l'aîné de reprendre haleine et de redresser la barque dérivant. Le docteur alors, le front en sueur, les joues pâles, humilié et rageur, balbutiait:

—Je ne sais pas ce qui me prend, j'ai un spasme au cœur. J'étais très bien parti et cela m'a coupé les bras.

Jean demandait:

—Veux-tu que je tire seul avec les avirons de couple?

—Non, merci, cela passera.

La mère, ennuyée, disait:

—Voyons, Pierre, à quoi cela rime-t-il de se mettre dans un état pareil, tu n'es pourtant pas un enfant?

Il haussait les épaules et recommençait à ramer.

Mme Rosémilly semblait ne pas voir, ne pas comprendre, ne pas entendre. Sa petite tête blonde, à chaque

mouvement du bateau, faisait en arrière un mouvement
brusque et joli qui soulevait sur les tempes ses fins cheveux.

Mais le père Roland cria: «Tenez, voici le *Prince-
Albert,* qui nous rattrape.» Et tout le monde regarda.
Long, bas, avec ses deux cheminées inclinées en arrière
et ses deux tambours jaunes, ronds comme des joues, le
bateau de Southampton arrivait à toute vapeur, chargé
de passagers et d'ombrelles ouvertes. Ses roues rapides,
bruyantes, battant l'eau qui retombait en écume, lui donnaient un air de hâte, un air de courrier pressé; et
l'avant tout droit coupait la mer en soulevant deux lames
minces et transparentes qui glissaient le long des bords.

Quand il fut tout près de la *Perle,* le père Roland
leva son chapeau, les deux femmes agitèrent leurs mouchoirs, et une demi-douzaine d'ombrelles répondirent à
ces saluts en se balançant vivement sur le paquebot qui
s'éloigna, laissant derrière lui, sur la surface paisible et
luisante de la mer, quelques lentes ondulations.

Et on voyait d'autres navires, coiffés aussi de fumée,
accourant de tous les points de l'horizon vers la jetée
courte et blanche qui les avalait comme une bouche, l'un
après l'autre. Et les barques de pêche et les grands
voiliers aux mâtures légères glissant sur le ciel, traînés
par d'imperceptibles remorqueurs, arrivaient tous, vite ou
lentement, vers cet ogre dévorant, qui, de temps en
temps, semblait repu, et rejetait vers la pleine mer une
autre flotte de paquebots, de bricks, de goélettes, de trois-
mâts chargés de ramures emmêlées. Les steamers hâtifs
s'enfuyaient à droite, à gauche, sur le ventre plat de
l'Océan tandis que les bâtiments à voile, abandonnés par
les mouches qui les avaient halés, demeuraient immobiles,
tout en s'habillant de la grande hune au petit perroquet,
de toile blanche ou de toile brune qui semblait rouge au
soleil couchant.

Mme Roland, les yeux mi-clos, murmura:

—Dieu! que c'est beau cette mer!

Mme Rosémilly répondit, avec un soupir prolongé, qui n'avait cependant rien de triste:

—Oui, mais elle fait bien du mal quelquefois.

Roland s'écria:

—Tenez, voici la *Normandie* qui se présente à l'entrée. Est-elle grande, hein?

Puis il expliqua la côte en face, là-bas, là-bas, de l'autre côté de l'embouchure de la Seine—vingt kilomètres, cette embouchure—disait-il. Il montra Villerville, Trouville, Houlgate, Luc, Arromanches, la rivière de Caen, et les roches du Calvados qui rendent la navigation dangereuse jusqu'à Cherbourg. Puis il traita la question des bancs de sable de la Seine, qui se déplacent à chaque marée et mettent en défaut les pilotes de Quillebœuf eux-mêmes, s'ils ne font pas tous les jours le parcours du chenal. Il fit remarquer comment le Havre séparait la basse de la haute Normandie. En basse Normandie, la côte plate descendait en pâturages, en prairies et en champs jusqu'à la mer. Le rivage de la haute Normandie, au contraire, était droit, une grande falaise, découpée, dentelée, superbe, faisant jusqu'à Dunkerque une immense muraille blanche dont toutes les échancrures cachaient un village ou un port: Étretat, Fécamp, Saint-Valéry, le Tréport, Dieppe, etc.

Les deux femmes ne l'écoutaient point, engourdies par le bien-être, émues par la vue de cet Océan couvert de navires qui couraient comme des bêtes autour de leur tanière; et elles se taisaient, un peu écrasées par ce vaste horizon d'air et d'eau, rendues silencieuses par ce coucher de soleil apaisant et magnifique. Seul, Roland parlait sans fin; il était de ceux que rien ne trouble. Les femmes, plus nerveuses, sentent parfois, sans com-

prendre pourquoi, que le bruit d'une voix inutile est
irritant comme une grossièreté.

Pierre et Jean, calmés, ramaient avec lenteur; et la
Perle s'en allait vers le port, toute petite à côté des gros
navires.

Quand elle toucha le quai, le matelot Papagris, qui
l'attendait, prit la main des dames pour les faire descendre; et on pénétra dans la ville. Une foule nombreuse,
tranquille, la foule qui va chaque jour aux jetées à
l'heure de la pleine mer, rentrait aussi.

Mmes Roland et Rosémilly marchaient devant, suivies
des trois hommes. En montant la rue de Paris elles
s'arrêtaient parfois devant un magasin de mode ou d'or-
fèvrerie pour contempler un chapeau ou bien un bijou;
puis elles repartaient après avoir échangé leurs idées.

Devant la place de la Bourse, Roland comtempla,
comme il faisait chaque jour, le bassin du Commerce
plein de navires, prolongé par d'autres bassins, où les
grosses coques, ventre à ventre, se touchaient sur quatre
ou cinq rangs. Tous les mâts innombrables, sur une
étendue de plusieurs kilomètres de quais, tous les mâts
avec les vergues, les flèches, les cordages, donnaient à
cette ouverture au milieu de la ville l'aspect d'un grand
bois mort. Au-dessus de cette forêt sans feuilles, les
goélands tournoyaient, épiant pour s'abattre, comme une
pierre qui tombe, tous les débris jetés à l'eau; et un
mousse, qui rattachait une poulie à l'extrémité d'un cacatois, semblait monté là pour chercher des nids.

—Voulez-vous dîner avec nous sans cérémonie aucune,
afin de finir ensemble la journée? demanda Mme Roland
à Mme Rosémilly.

—Mais oui, avec plaisir; j'accepte aussi sans cérémonie. Ce serait triste de rentrer toute seule ce soir.

Pierre, qui avait entendu et que l'indifférence de la

jeune femme commençait à froisser, murmura: «Bon,
voici la veuve qui s'incruste, maintenant.» Depuis quelques jours il l'appelait «la veuve». Ce mot, sans rien
exprimer, agaçait Jean rien que par l'intonation, qui lui
paraissait méchante et blessante.

Et les trois hommes ne prononcèrent plus un mot
jusqu'au seuil de leur logis. C'était une maison étroite,
composée d'un rez-de-chaussée et de deux petits étages,
rue Belle-Normande. La bonne, Joséphine, une fillette
de dix-neuf ans, servante campagnarde à bon marché,
qui possédait à l'excès l'air étonné et bestial des paysans,
vint ouvrir, referma la porte, monta derrière ses maîtres
jusqu'au salon qui était au premier, puis elle dit:

—Il est v'nu un m'sieu trois fois.

Le père Roland, qui ne lui parlait pas sans hurler et
sans sacrer, cria:

—Qui ça est venu, nom d'un chien?

Elle ne se troublait jamais des éclats de voix de son
maître, et elle reprit:

—Un m'sieu d'chez l'notaire.

—Quel notaire?

—D'chez m'sieu Canu, donc.

—Et qu'est-ce qu'il a dit ce monsieur?

—Qu'm'sieu Canu y viendrait en personne dans la
soirée.

Mᵉ Lecanu était le notaire et un peu l'ami du père
Roland, dont il faisait les affaires. Pour qu'il eût annoncé sa visite dans la soirée, il fallait qu'il s'agît d'une
chose urgente et importante; et les quatre Roland se
regardèrent, troublés par cette nouvelle comme le sont
les gens de fortune modeste à toute intervention d'un
notaire, qui éveille une foule d'idées de contrats, d'héri-
tages, de procès, de choses désirables ou redoutables. Le
père, après quelques secondes de silence, murmura:

—Qu'est-ce que cela peut vouloir dire?

Mme Rosémilly se mit à rire:

—Allez, c'est un héritage. J'en suis sûre. Je porte bonheur.

Mais ils n'espéraient la mort de personne qui pût leur laisser quelque chose.

Mme Roland, douée d'une excellente mémoire pour les parentés, se mit aussitôt à rechercher toutes les alliances du côté de son mari et du sien, à remonter les filiations, à suivre les branches des cousinages.

Elle demandait, sans avoir même ôté son chapeau:

—Dis donc, père (elle appelait son mari «père» dans la maison, et quelquefois «monsieur Roland» devant les étrangers), dis donc, père, te rappelles-tu qui a épousé Joseph Lebru, en secondes noces?

—Oui, une petite Duménil, la fille d'un papetier.

—En a-t-il eu des enfants?

—Je crois bien, quatre ou cinq, au moins.

—Non. Alors il n'y a rien par là.

Déjà elle s'animait à cette recherche, elle s'attachait à cette espérance d'un peu d'aisance leur tombant du ciel. Mais Pierre, qui aimait beaucoup sa mère, qui la savait un peu rêveuse, et qui craignait une désillusion, un petit chagrin, une petite tristesse, si la nouvelle, au lieu d'être bonne, était mauvaise, l'arrêta.

—Ne t'emballe pas, maman, il n'y a plus d'oncle d'Amérique! Moi, je croirais bien plutôt qu'il s'agit d'un mariage pour Jean.

Tout le monde fut surpris à cette idée, et Jean demeura un peu froissé que son frère eût parlé de cela devant Mme Rosémilly.

—Pourquoi pour moi plutôt que pour toi? La supposition est très contestable. Tu es l'aîné; c'est donc à toi qu'on aurait songé d'abord. Et puis, moi, je ne veux pas me marier.

Pierre ricana:

—Tu es donc amoureux?

L'autre, mécontent, répondit:

—Est-il nécessaire d'être amoureux pour dire qu'on ne veut pas encore se marier?

—Ah! bon, le «encore» corrige tout; tu attends.

—Admets que j'attends, si tu veux.

Mais le père Roland, qui avait écouté et réfléchi, trouva tout à coup la solution la plus vraisemblable.

—Parbleu! nous sommes bien bêtes de nous creuser la tête. Me Lecanu est notre ami, il sait que Pierre cherche un cabinet de médecin, et Jean un cabinet d'avocat, il a trouvé à caser l'un de vous deux.

C'était tellement simple et probable que tout le monde en fut d'accord.

—C'est servi, dit la bonne.

Et chacun gagna sa chambre afin de se laver les mains avant de se mettre à table.

Dix minutes plus tard, ils dînaient dans la petite salle à manger, au rez-de-chaussée.

On ne parla guère tout d'abord; mais, au bout de quelques instants, Roland s'étonna de nouveau de cette visite du notaire.

—En somme, pourquoi n'a-t-il pas écrit, pourquoi a-t-il envoyé trois fois son clerc, pourquoi vient-il lui-même?

Pierre trouvait cela naturel.

—Il faut sans doute une réponse immédiate; et il a peut-être à nous communiquer des clauses confidentielles qu'on n'aime pas beaucoup écrire.

Mais ils demeuraient préoccupés et un peu ennuyés tous les quatre d'avoir invité cette étrangère qui gênerait leur discussion et les résolutions à prendre.

Ils venaient de remonter au salon quand le notaire fut annoncé.

Roland s'élança.

—Bonjour, cher maître.

Il donnait comme titre à M. Lecanu le «maître» qui précède le nom de tous les notaires.

Mme Rosémilly se leva:

—Je m'en vais, je suis très fatiguée.

On tenta faiblement de la retenir; mais elle n'y consentit point et elle s'en alla sans qu'un des trois hommes la reconduisît, comme on le faisait toujours.

Mme Roland s'empressa près du nouveau venu:

—Une tasse de café, Monsieur!

—Non, merci, je sors de table.

—Une tasse de thé, alors?

—Je ne dis pas non, mais un peu plus tard, nous allons d'abord parler affaires.

Dans le profond silence qui suivit ces mots on n'entendit plus que le mouvement rythmé de la pendule et, à l'étage au-dessous, le bruit des casseroles lavées par la bonne trop bête même pour écouter aux portes.

Le notaire reprit:

—Avez-vous connu à Paris un certain M. Maréchal, Léon Maréchal?

M. et Mme Roland poussèrent la même exclamation: «Je crois bien!»

—C'était un de vos amis?

Roland déclara:

—Le meilleur, Monsieur, mais un Parisien enragé; il ne quitte pas le boulevard. Il est chef de bureau aux finances. Je ne l'ai plus revu depuis mon départ de la capitale. Et puis nous avons cessé de nous écrire. Vous savez, quand on vit loin l'un de l'autre. . .

Le notaire reprit gravement:

—M. Maréchal est décédé!

L'homme et la femme eurent ensemble ce petit mouvement de surprise triste, feint ou vrai, mais toujours prompt, dont on accueille ces nouvelles.

légater

M. Lecanu continua:

—Mon confrère de Paris vient de me communiquer la principale disposition de son testament par laquelle il institue votre fils Jean, M. Jean Roland, son légataire universel.

L'étonnement fut si grand qu'on ne trouvait pas un mot à dire.

Mme Roland, la première, dominant son émotion, balbutia:

—Mon Dieu, ce pauvre Léon . . . notre pauvre ami . . . mon Dieu . . . mon Dieu . . . mort! . . .

Des larmes apparurent dans ses yeux, ces larmes silencieuses des femmes, gouttes de chagrin venues de l'âme qui coulent sur les joues et semblent si douloureuses, étant si claires.

Mais Roland songeait moins à la tristesse de cette perte qu'à l'espérance annoncée. Il n'osait cependant interroger tout de suite sur les clauses de ce testament, et sur le chiffre de la fortune; et il demanda, pour arriver à la question intéressante:

—De quoi est-il mort, ce pauvre Maréchal?

M. Lecanu l'ignorait parfaitement.

—Je sais seulement, disait-il, que, décédé sans héritiers directs, il laisse toute sa fortune, une vingtaine de mille francs de rentes en obligations trois pour cent, à votre second fils, qu'il a vu naître, grandir, et qu'il juge digne de ce legs. A défaut d'acceptation de la part de M. Jean, l'héritage irait aux enfants abandonnés.

Le père Roland déjà ne pouvait plus dissimuler sa joie et il s'écria:

—Sapristi! voilà une bonne pensée du cœur. Moi, si je n'avais pas eu de descendant, je ne l'aurais certainement point oublié non plus, ce brave ami!

Le notaire souriait:

—J'ai été bien aise, dit-il, de vous annoncer moi-même la chose. Ça fait toujours plaisir d'apporter aux gens une bonne nouvelle.

Il n'avait point du tout songé que cette bonne nouvelle était la mort d'un ami, du meilleur ami du père Roland, qui venait lui-même d'oublier subitement cette intimité annoncée tout à l'heure avec conviction.

Seuls, Mme Roland et ses fils gardaient une physionomie triste. Elle pleurait toujours un peu, essuyant ses yeux avec son mouchoir qu'elle appuyait ensuite sur sa bouche pour comprimer de gros soupirs.

Le docteur murmura:

—C'était un brave homme, bien affectueux. Il nous invitait souvent à dîner, mon frère et moi.

Jean, les yeux grands ouverts et brillants, prenait d'un geste familier sa belle barbe blonde dans sa main droite, et l'y faisait glisser, jusqu'aux derniers poils, comme pour l'allonger et l'amincir.

Il remua deux fois les lèvres pour prononcer aussi une phrase convenable, et, après avoir longtemps cherché, il ne trouva que ceci:

—Il m'aimait bien, en effet, il m'embrassait toujours quand j'allais le voir.

Mais la pensée du père galopait; elle galopait autour de cet héritage annoncé, acquis déjà, de cet argent caché derrière la porte et qui allait entrer tout à l'heure, demain, sur un mot d'acceptation.

Il demanda:

—Il n'y a pas de difficultés possibles? . . . pas de procès? . . . pas de contestations? . . .

Me Lecanu semblait tranquille:

—Non, mon confrère de Paris me signale la situation comme très nette. Il ne nous faut que l'acceptation de M. Jean.

—Parfait, alors . . . et la fortune est bien claire?

—Très claire.

—Toutes les formalités ont été remplies?

—Toutes.

Soudain, l'ancien bijoutier eut un peu honte, une honte vague, instinctive et passagère de sa hâte à se renseigner, et il reprit:

—Vous comprenez bien que si je vous demande immédiatement toutes ces choses, c'est pour éviter à mon fils des désagréments qu'il pourrait ne pas prévoir. Quelquefois il y a des dettes, une situation embarrassée, est-ce que je sais, moi? et on se fourre dans un roncier inextricable. En somme, ce n'est pas moi qui hérite, mais je pense au petit avant tout.

Dans la famille on appelait toujours Jean «le petit», bien qu'il fût beaucoup plus grand que Pierre.

Mme Roland, tout à coup, parut sortir d'un rêve, se rappeler une chose lointaine, presque oubliée, qu'elle avait entendue autrefois, dont elle n'était pas sûre d'ailleurs, et elle balbutia:

—Ne disiez-vous point que notre pauvre Maréchal avait laissé sa fortune à mon petit Jean?

—Oui, madame.

Elle reprit alors simplement:

—Cela me fait grand plaisir, car cela prouve qu'il nous aimait.

Roland s'était levé:

—Voulez-vous, cher maître, que mon fils signe tout de suite l'acceptation?

—Non . . . non . . . monsieur Roland. Demain, demain, à mon étude, à deux heures, si cela vous convient.

—Mais oui, mais oui, je crois bien!

Alors, Mme Roland qui s'était levée aussi, et qui souriait après les larmes, fit deux pas vers le notaire, posa sa main sur le dos de son fauteuil, et le couvrant d'un regard attendri de mère reconnaissante, elle demanda:

—Et cette tasse de thé, monsieur Lecanu?

—Maintenant, je veux bien, Madame, avec plaisir.

La bonne appelée apporta d'abord des gâteaux secs en de profondes boîtes de fer-blanc, ces fades et cassantes pâtisseries anglaises qui semblent cuites pour des becs de perroquet et soudées en des caisses de métal pour des voyages autour du monde. Elle alla chercher ensuite des serviettes grises, pliées en petits carrés, ces serviettes à thé qu'on ne lave jamais dans les familles besoigneuses. Elle revint une troisième fois avec le sucrier et les tasses; puis elle ressortit pour faire chauffer l'eau. Alors on attendit.

Personne ne pouvait parler; on avait trop à penser, et rien à dire. Seule Mme Roland cherchait des phrases banales. Elle raconta la partie de pêche, fit l'éloge de la *Perle* et de Mme Rosémilly.

—Charmante, charmante, répétait le notaire.

Roland, les reins appuyés au marbre de la cheminée, comme en hiver, quand le feu brûle, les mains dans ses poches et les lèvres remuantes comme pour siffler, ne pouvait plus tenir en place, torturé du désir impérieux de laisser sortir toute sa joie.

Les deux frères, en deux fauteuils pareils, les jambes croisées de la même façon, à droite et à gauche du guéridon central, regardaient fixement devant eux, en des attitudes semblables, pleines d'expressions différentes.

Le thé parut enfin. Le notaire prit, sucra et but sa tasse, après avoir émietté dedans une petite galette trop dure pour être croquée; puis il se leva, serra les mains et sortit.

—C'est entendu, répétait Roland, demain, chez vous, à deux heures.

—C'est entendu, demain, deux heures.

Jean n'avait pas dit un mot.

Après ce départ il y eut encore un silence, puis le père

Roland vint taper de ses deux mains ouvertes sur les deux épaules de son jeune fils en criant:

—Eh bien! sacré veinard, tu ne m'embrasses pas?

Alors Jean eut un sourire, et il embrassa son père en disant:

—Cela ne m'apparaissait pas comme indispensable.

Mais le bonhomme ne se possédait plus d'allégresse. Il marchait, jouait du piano sur les meubles avec ses ongles maladroits, pivotait sur ses talons, et répétait:

—Quelle chance! quelle chance! En voilà une, de chance!

Pierre demanda:

—Vous le connaissiez donc beaucoup, autrefois, ce Maréchal?

Le père répondit:

—Parbleu, il passait toutes ses soirées à la maison; mais tu te rappelles bien qu'il allait te prendre au collège, les jours de sortie, et qu'il t'y reconduisait souvent après dîner. Tiens, justement, le matin de la naissance de Jean, c'est lui qui est allé chercher le médecin! Il avait déjeuné chez nous quand ta mère s'est trouvée souffrante. Nous avons compris tout de suite de quoi il s'agissait, et il est parti en courant. Dans sa hâte il a pris mon chapeau au lieu du sien. Je me rappelle cela parce que nous en avons beaucoup ri, plus tard. Il est même probable qu'il s'est souvenu de ce détail au moment de mourir; et comme il n'avait aucun héritier il s'est dit: «Tiens, j'ai contribué à la naissance de ce petit-là, je vais lui laisser ma fortune.»

Mme Roland, enfoncée dans une bergère, semblait partie en ses souvenirs. Elle murmura, comme si elle pensait tout haut:

—Ah! c'était un brave ami, bien dévoué, bien fidèle, un homme rare, par le temps qui court.

Jean s'était levé:

—Je vais faire un bout de promenade, dit-il.

Son père s'étonna, voulut le retenir, car ils avaient à causer, à faire des projets, à arrêter des résolutions. Mais le jeune homme s'obstina, prétextant un rendez-vous. On aurait d'ailleurs tout le temps de s'entendre bien avant d'être en possession de l'héritage.

Et il s'en alla, car il désirait être seul, pour réfléchir. Pierre, à son tour, déclara qu'il sortait, et suivit son frère, après quelques minutes.

Dès qu'il fut en tête à tête avec sa femme, le père Roland la saisit dans ses bras, l'embrassa dix fois sur chaque joue, et, pour répondre à un reproche qu'elle lui avait souvent adressé:

—Tu vois, ma chérie, que cela ne m'aurait servi à rien de rester à Paris plus longtemps, de m'esquinter pour les enfants, au lieu de venir ici refaire ma santé, puisque la fortune nous tombe du ciel.

Elle était devenue toute sérieuse.

—Elle tombe du ciel pour Jean, dit-elle, mais Pierre?

—Pierre! mais il est docteur, il en gagnera . . . de l'argent . . . et puis son frère fera bien quelque chose pour lui.

—Non. Il n'accepterait pas. Et puis cet héritage est à Jean, rien qu'à Jean. Pierre se trouve ainsi très désavantagé.

Le bonhomme semblait perplexe:

—Alors, nous lui laisserons un peu plus par testament, nous.

—Non. Ce n'est pas très juste non plus.

Il s'écria:

—Ah! bien alors, zut! Qu'est-ce que tu veux que j'y fasse, moi? Tu vas toujours chercher un tas d'idées désagréables. Il faut que tu gâtes tous mes plaisirs. Tiens, je vais me coucher. Bonsoir. C'est égal, en voilà une veine, une rude veine!

Et il s'en alla, enchanté, malgré tout, et sans un mot de regret pour l'ami mort si généreusement.

Mme Roland se remit à songer devant la lampe qui charbonnait.

II

Dès qu'il fut dehors, Pierre se dirigea vers la rue de Paris, la principale rue du Havre, éclairée, animée, bruyante. L'air un peu frais des bords de mer lui caressait la figure, et il marchait lentement, la canne sous le bras, les mains derrière le dos.

Il se sentait mal à l'aise, alourdi, mécontent comme lorsqu'on a reçu quelque fâcheuse nouvelle. Aucune pensée précise ne l'affligeait et il n'aurait su dire tout d'abord d'où lui venait cette pesanteur de l'âme et cet engourdissement du corps. Il avait mal quelque part sans savoir où; il portait en lui un petit point douloureux, une de ces presque insensibles meurtrissures dont on ne trouve pas la place, mais qui gênent, fatiguent, attristent, irritent, une souffrance inconnue et légère, quelque chose comme une graine de chagrin.

Lorsqu'il arriva place du Théâtre, il se sentit attiré par les lumières du café Tortoni, et il s'en vint lentement vers la façade illuminée; mais au moment d'entrer, il songea qu'il allait trouver là des amis, des connaissances, des gens avec qui il faudrait causer; et une répugnance brusque l'envahit pour cette banale camaraderie des demi-tasses et des petits verres. Alors, retournant sur ses pas, il revint prendre la rue principale qui le conduisait vers le port.

Il se demandait: «Où irais-je bien?» cherchant un endroit qui lui plût, qui fût agréable à son état d'esprit. Il n'en trouvait pas, car il s'irritait d'être seul, et il n'aurait voulu rencontrer personne.

En arrivant sur le grand quai, il hésita encore une fois, puis tourna vers la jetée; il avait choisi la solitude.

Comme il frôlait un banc sur le brise-lames, il s'assit, déjà las de marcher et dégoûté de sa promenade avant même de l'avoir faite.

Il se demanda: «Qu'ai-je donc ce soir?» Et il se mit à chercher dans son souvenir quelle contrariété avait pu l'atteindre, comme on interroge un malade pour trouver la cause de sa fièvre.

Il avait l'esprit excitable et réfléchi en même temps, il s'emballait, puis raisonnait, approuvait ou blâmait ses élans; mais chez lui la nature première demeurait en dernier lieu la plus forte, et l'homme sensitif dominait toujours l'homme intelligent.

Donc il cherchait d'où lui venait cet énervement, ce besoin de mouvement sans avoir envie de rien, ce désir de rencontrer quelqu'un pour n'être pas du même avis, et aussi ce dégoût pour les gens qu'il pourrait voir et pour les choses qu'ils pourraient lui dire.

Et il se posa cette question: «Serait-ce l'héritage de Jean?»

Oui, c'était possible après tout. Quand le notaire avait annoncé cette nouvelle, il avait senti son cœur battre un peu plus fort. Certes, on n'est pas toujours maître de soi, et on subit des émotions spontanées et persistantes contre lesquelles on lutte en vain.

Il se mit à réfléchir profondément à ce problème physiologique de l'impression produite par un fait sur l'être instinctif et créant en lui un courant d'idées et de sensations douloureuses ou joyeuses, contraires à celles que désire, qu'appelle, que juge bonnes et saines l'être pensant, devenu supérieur à lui-même par la culture de son intelligence.

Il cherchait à concevoir l'état d'âme du fils qui hérite d'une grosse fortune, qui va goûter, grâce à elle, beaucoup de joies désirées depuis longtemps et interdites par l'avarice d'un père, aimé pourtant, et regretté.

Il se leva et se remit à marcher vers le bout de la jetée. Il se sentait mieux, content d'avoir compris, de s'être surpris lui-même, d'avoir dévoilé l'autre qui est en nous.

—Donc j'ai été jaloux de Jean, pensait-il. C'est vraiment assez bas, cela! J'en suis sûr maintenant, car la première idée qui m'est venue est celle de son mariage avec Mme Rosémilly. Je n'aime pourtant pas cette petite dinde raisonnable, bien faite pour dégoûter du bon sens et de la sagesse. C'est donc de la jalousie gratuite, l'essence même de la jalousie, celle qui est parce qu'elle est! Faut soigner cela!

Il arrivait devant le mât des signaux qui indique la hauteur de l'eau dans le port, et il alluma une allumette pour lire la liste des navires signalés au large et devant entrer à la prochaine marée. On attendait des steamers du Brésil, de la Plata, du Chili et du Japon, deux bricks danois, une goélette norvégienne et un vapeur turc, ce qui surprit Pierre autant que s'il avait lu «un vapeur suisse»; et il aperçut dans une sorte de songe bizarre un grand vaisseau couvert d'hommes en turban, qui montaient dans les cordages avec de larges pantalons.

—Que c'est bête, pensait-il; le peuple turc est pourtant un peuple marin.

Ayant fait encore quelques pas, il s'arrêta pour contempler la rade. Sur sa droite, au-dessus de Sainte-Adresse, les deux phares électriques du cap de la Hève, semblables à deux cyclopes monstrueux et jumeaux, jetaient sur la mer leurs longs et puissants regards. Partis des deux foyers voisins, les deux rayons parallèles, pareils aux queux géantes de deux comètes, descendaient, suivant une pente droite et démesurée, du sommet de la côte au fond de l'horizon. Puis sur les deux jetées, deux autres feux, enfants de ces colosses, indiquaient l'entrée du Havre; et là-bas, de l'autre côté de la Seine, on en

voyait d'autres encore, beaucoup d'autres, fixes ou cligno-
tants, à éclats et à éclipses, s'ouvrant et se fermant
comme des yeux, les yeux des ports, jaunes, rouges, verts,
guettant la mer obscure couverte de navires, les yeux
vivants de la terre hospitalière disant, rien que par le
mouvement mécanique invariable et régulier de leurs paupières: «C'est moi. Je suis Trouville, je suis Honfleur,
je suis la rivière de Pont-Audemer.» Et dominant tous
les autres, si haut que, de si loin, on le prenait pour une
planète, le phare aérien d'Étouville montrait la route de
Rouen, à travers les bancs de sable de l'embouchure du
grand fleuve.

Puis sur l'eau profonde, sur l'eau sans limites, plus
sombre que le ciel, on croyait voir, çà et là, des étoiles.
Elles tremblotaient dans la brume nocturne, petites,
proches ou lointaines, blanches, vertes ou rouges aussi.
Presque toutes étaient immobiles, quelques-unes, cependant, semblaient courir; c'étaient les feux des bâtiments
à l'ancre attendant la marée prochaine, ou des bâtiments
en marche venant chercher un mouillage.

Juste à ce moment la lune se leva derrière la ville; et
elle avait l'air du phare énorme et divin, allumé dans le
firmament pour guider la flotte infinie des vraies étoiles.

Pierre murmura, presque à haute voix:

«Voilà, et nous nous faisons de la bile pour quatre
sous!»

Tout près de lui soudain, dans la tranchée large et
noire ouverte entre les jetées, une ombre, une grande
ombre fantastique, glissa. S'étant penché sur le parapet
de granit, il vit une barque de pêche qui rentrait, sans
un bruit de voix, sans un bruit de flot, sans un bruit
d'aviron, doucement poussée par sa haute voile brune
tendue à la brise du large.

Il pensa: «Si on pouvait vivre là-dessus, comme on
serait tranquille, peut-être!» Puis, ayant fait encore

quelques pas, il aperçut un homme assis à l'extrémité du
môle.

Un rêveur, un amoureux, un sage, un heureux ou un
triste? Qui était-ce? Il s'approcha, curieux, pour voir
la figure de ce solitaire; et il reconnut son frère.

—Tiens, c'est toi, Jean?

—Tiens. . . Pierre. . . Qu'est-ce que tu viens faire
ici?

—Mais je prends l'air. Et toi?

Jean se mit à rire:

—Je prends l'air également.

Et Pierre s'assit à côté de son frère.

—Hein, c'est rudement beau?

—Mais oui.

Au son de la voix il comprit que Jean n'avait rien
regardé; il reprit:

—Moi, quand je viens ici, j'ai des désirs fous de partir, de m'en aller avec tous ces bateaux, vers le Nord ou
vers le Sud. Songe que ces petits feux, là-bas, arrivent
de tous les coins du monde, des pays aux grandes fleurs
et aux belles filles pâles ou cuivrées, des pays aux
oiseaux-mouches, aux éléphants, aux lions libres, aux
rois nègres, de tous les pays qui sont nos contes de fées
à nous qui ne croyons plus à la Chatte Blanche ni à la
Belle au bois dormant. Ce serait rudement chic de pouvoir s'offrir une promenade par là-bas; mais voilà, il
faudrait de l'argent, beaucoup. . .

Il se tut brusquement, songeant que son frère l'avait
maintenant, cet argent, et que délivré de tout souci, délivré du travail quotidien, libre, sans entraves, heureux,
joyeux, il pouvait aller où bon lui semblerait, vers les
blondes Suédoises ou les brunes Havanaises.

Puis une de ces pensées involontaires, fréquentes chez
lui, si brusques, si rapides, qu'il ne pouvait ni les prévoir, ni les arrêter, ni les modifier, venues, semblait-il,

d'une seconde âme indépendante et violente, le traversa:
«Bah! il est trop niais, il épousera la petite Rosémilly.»

Il s'était levé.

—Je te laisse rêver d'avenir; moi, j'ai besoin de marcher.

Il serra la main de son frère, et reprit avec un accent
très cordial:

—Eh bien, mon petit Jean, te voilà riche! Je suis bien
content de t'avoir rencontré tout seul ce soir, pour te
dire combien cela me fait plaisir, combien je te félicite
et combien·je t'aime.

Jean, d'une nature douce et tendre, très ému, balbutiait:

—Merci. . . merci. . . mon bon Pierre, merci.

Et Pierre s'en retourna, de son pas lent, la canne
sous le bras, les mains derrière le dos.

Lorsqu'il fut rentré dans la ville, il se demanda de
nouveau ce qu'il ferait, mécontent de cette promenade
écourtée; d'avoir été privé de la mer par la présence de
son frère.

Il eut une inspiration: «Je vais boire un verre de
liqueur chez le père Marowsko»; et il remonta vers le
quartier d'Ingouville.

Il avait connu le père Marowsko dans les hôpitaux à
Paris. C'était un vieux Polonais, réfugié politique,
disait-on, qui avait eu des histoires terribles là-bas et
qui était venu exercer en France, après nouveaux exa-
mens, son métier de pharmacien. On ne savait rien de sa
vie passée; aussi des légendes avaient-elles couru parmi
les internes, les externes, et plus tard parmi les voisins.
Cette réputation de conspirateur redoutable, de nihiliste,
de régicide, de patriote prêt à tout, échappé à la mort
par miracle, avait séduit l'imagination aventureuse et
vive de Pierre Roland; et il était devenu l'ami du vieux
Polonais, sans avoir jamais obtenu de lui, d'ailleurs,

aucun aveu sur son existence ancienne. C'était encore
grâce au jeune médecin que le bonhomme était venu
s'établir au Havre, comptant sur une belle clientèle que
le nouveau docteur lui fournirait.

En attendant, il vivait pauvrement dans sa modeste
pharmacie, en vendant des remèdes aux petits bourgeois
et aux ouvriers de son quartier.

Pierre allait souvent le voir après dîner et causer une
heure avec lui, car il aimait la figure calme et la rare
conversation de Marowsko, dont il jugeait profonds les
longs silences.

Un seul bec de gaz brûlait au-dessus du comptoir
chargé de fioles. Ceux de la devanture n'avaient point
été allumés, par économie. Derrière ce comptoir, assis
sur une chaise et les jambes allongées l'une sur l'autre,
un vieux homme chauve, avec un grand nez d'oiseau qui,
continuant son front dégarni, lui donnait un air triste
de perroquet, dormait profondément, le menton sur la
poitrine.

Au bruit du timbre, il s'éveilla, se leva, et reconnaissant le docteur, vint au-devant de lui, les mains tendues.

Sa redingote noire, tigrée de taches d'acides et de
sirops, beaucoup trop vaste pour son corps maigre et
petit, avait un aspect d'antique soutane; et l'homme
parlait avec un fort accent polonais qui donnait à sa
voix fluette quelque chose d'enfantin, un zézaiement et
des intonations de jeune être qui commence à prononcer.

Pierre s'assit et Marowsko demanda:

—Quoi de neuf, mon cher docteur?

—Rien. Toujours la même chose partout.

—Vous n'avez pas l'air gai, ce soir.

—Je ne le suis pas souvent.

—Allons, allons, il faut secouer cela. Voulez-vous un
verre de liqueur?

—Oui, je veux bien.

—Alors je vais vous faire goûter une préparation nouvelle. Voilà deux mois que je cherche à tirer quelque
chose de la groseille, dont on n'a fait jusqu'ici que du
sirop. . . eh bien! j'ai trouvé. . . j'ai trouvé. . . une bonne
liqueur, très bonne, très bonne.

Et ravi, il alla vers une armoire, l'ouvrit et choisit
une fiole qu'il apporta. Il remuait et agissait par gestes
courts, jamais complets, jamais il n'allongeait le bras
tout à fait, n'ouvrait toutes grandes les jambes, ne faisait
un mouvement entier et définitif. Ses idées semblaient
pareilles à ses actes; il les indiquait, les promettait, les
esquissait, les suggérait, mais ne les énonçait pas.

Sa plus grande préoccupation dans la vie semblait être
d'ailleurs la préparation des sirops et des liqueurs. «Avec
un bon sirop ou une bonne liqueur, on fait fortune»,
disait-il souvent.

Il avait inventé des centaines de préparations sucrées
sans parvenir à en lancer une seule. Pierre affirmait que
Marowsko le faisait penser à Marat.

Deux petits verres furent pris dans l'arrière-boutique
et apportés sur la planche aux préparations; puis les
deux hommes examinèrent en l'élevant vers le gaz la
coloration du liquide.

—Joli rubis! déclara Pierre.

—N'est-ce pas?

La vieille tête de perroquet du Polonais semblait ravie.

Le docteur goûta, savoura, réfléchit, goûta de nouveau,
réfléchit encore et se prononça:

—Très bon, très bon, et très neuf comme saveur; une
trouvaille, mon cher!

—Ah! vraiment, je suis bien content.

Alors Marowsko demanda conseil pour baptiser la
liqueur nouvelle; il voulait l'appeler «essence de groseille», ou bien «fine groseille», ou bien «grosélia», ou
bien «groséline».

Pierre n'approuvait aucun de ces noms.

Le vieux eut une idée:

—Ce que vous avez dit tout à l'heure est très bon, très bon: «Joli rubis».

Le docteur contesta encore la valeur de ce nom, bien qu'il l'eût trouvé, et il conseilla simplement «groseillette», que Marowsko déclara admirable.

Puis ils se turent et demeurèrent assis quelques minutes, sans prononcer un mot, sous l'unique bec de gaz.

Pierre, enfin, presque malgré lui:

—Tiens, il nous est arrivé une chose assez bizarre, ce soir. Un des amis de mon père, en mourant, a laissé sa fortune à mon frère.

Le pharmacien sembla ne pas comprendre tout de suite, mais, après avoir songé, il espéra que le docteur héritait par moitié. Quand la chose eut été bien expliquée, il parut surpris et fâché; et pour exprimer son mécontentement de voir son jeune ami sacrifié, il répéta plusieurs fois:

—Ça ne fera pas un bon effet.

Pierre, que son énervement reprenait, voulut savoir ce que Marowsko entendait par cette phrase.—Pourquoi cela ne ferait-il pas un bon effet? Quel mauvais effet pouvait résulter de ce que son frère héritait la fortune d'un ami de la famille?

Mais le bonhomme, circonspect, ne s'expliqua pas davantage.

—Dans ce cas-là on laisse aux deux frères également, je vous dis que ça ne fera pas un bon effet.

Et le docteur, impatienté, s'en alla, rentra dans la maison paternelle et se coucha.

Pendant quelque temps, il entendit Jean qui marchait doucement dans la chambre voisine, puis il s'endormit après avoir bu deux verres d'eau.

III

Le docteur se réveilla le lendemain avec la résolution bien arrêtée de faire fortune.

Plusieurs fois déjà il avait pris cette détermination sans en poursuivre la réalité. Au début de toutes ses tentatives de carrière nouvelle, l'espoir de la richesse vite acquise soutenait ses efforts et sa confiance jusqu'au premier obstacle, jusqu'au premier échec qui le jetait dans une voie nouvelle.

Enfoncé dans son lit entre les draps chauds, il méditait. Combien de médecins étaient devenus millionnaires en peu de temps ! Il suffisait d'un grain de savoir-faire, car, dans le cours de ses études, il avait pu apprécier les plus célèbres professeurs, et il les jugeait des ânes. Certes il valait autant qu'eux, sinon mieux. S'il parvenait par un moyen quelconque à capter la clientèle élégante et riche du Havre, il pouvait gagner cent mille francs par an avec facilité. Et il calculait, d'une façon précise, les gains assurés. Le matin, il sortirait, il irait chez ses malades. En prenant la moyenne, bien faible, de dix par jour, à vingt francs l'un, cela lui ferait, au minimum, soixante-douze mille francs par an, même soixante-quinze mille, car le chiffre de dix malades était inférieur à la réalisation certaine. Après midi, il recevrait dans son cabinet une autre moyenne de dix visiteurs à dix francs, soit trente-six mille francs. Voilà donc cent vingt mille francs, chiffre rond. Les clients anciens et les amis qu'il irait voir à dix francs et qu'il recevrait à cinq francs feraient peut-être sur ce total une légère diminution compensée par les consultations avec d'autres médecins et par tous les petits bénéfices courants de la profession.

Rien de plus facile que d'arriver là avec de la réclame habile, des échos dans le *Figaro* indiquant que le corps scientifique parisien avait les yeux sur lui, s'intéressait à des cures surprenantes entreprises par le jeune et modeste savant havrais. Et il serait plus riche que son frère, plus riche et célèbre, et content de lui-même, car il ne devrait sa fortune qu'à lui; et il se montrerait généreux pour ses vieux parents, justement fiers de sa renommée. Il ne se marierait pas, ne voulant point encombrer son existence d'une femme unique et gênante, mais il aurait des maîtresses parmi ses clientes les plus jolies.

Il se sentait si sûr du succès, qu'il sauta hors du lit comme pour le saisir tout de suite, et il s'habilla afin d'aller chercher par la ville l'appartement qui lui convenait.

Alors, en rôdant à travers les rues, il songea combien sont légères les causes déterminantes de nos actions. Depuis trois semaines, il aurait pu, il aurait dû prendre cette résolution née brusquement en lui, sans aucun doute, à la suite de l'héritage de son frère.

Il s'arrêtait devant les portes où pendait un écriteau annonçant soit un bel appartement, soit un riche appartement à louer, les indications sans adjectif le laissant toujours plein de dédain. Alors il visitait avec des façons hautaines, mesurait la hauteur des plafonds, dessinait sur son calepin le plan du logis, les communications, la disposition des issues, annonçait qu'il était médecin et qu'il recevait beaucoup. Il fallait que l'escalier fût large et bien tenu; il ne pouvait monter d'ailleurs au-dessus du premier étage.

Après avoir noté sept ou huit adresses et griffonné deux cents renseignements, il rentra pour déjeuner avec un quart d'heure de retard.

Dès le vestibule, il entendit un bruit d'assiettes. On mangeait donc sans lui. Pourquoi? Jamais on n'était aussi exact dans la maison. Il fut froissé, mécontent, car il était un peu susceptible. Dès qu'il entra, Roland lui dit:

—Allons, Pierre, dépêche-toi, sacrebleu! Tu sais que nous allons à deux heures chez le notaire. Ce n'est pas le jour de musarder.

Le docteur s'assit, sans répondre, après avoir embrassé sa mère et serré la main de son père et de son frère; et il prit dans le plat creux, au milieu de la table, la côtelette réservée pour lui. Elle était froide et sèche. Ce devait être la plus mauvaise. Il pensa qu'on aurait pu la laisser dans le fourneau jusqu'à son arrivée, et ne pas perdre la tête au point d'oublier complètement l'autre fils, le fils aîné. La conversation, interrompue par son entrée, reprit au point où il l'avait coupée.

—Moi, disait à Jean Mme Roland, voici ce que je ferais tout de suite. Je m'installerais richement, de façon à frapper l'œil, je me montrerais dans le monde, je monterais à cheval, et je choisirais une ou deux causes intéressantes pour les plaider et me bien poser au Palais. Je voudrais être une sorte d'avocat amateur très recherché. Grâce à Dieu, te voici à l'abri du besoin, et si tu prends une profession, en somme, c'est pour ne pas perdre le fruit de tes études et parce qu'un homme ne doit jamais rester à rien faire.

Le père Roland, qui pelait une poire, déclara:

—Cristi! à ta place, c'est moi qui achèterais un joli bateau, un cotre sur le modèle de nos pilotes. J'irais jusqu'au Sénégal, avec ça.

Pierre, à son tour, donna son avis. En somme, ce n'était pas la fortune qui faisait la valeur morale, la valeur intellectuelle d'un homme. Pour les médiocres elle n'était qu'une cause d'abaissement, tandis qu'elle mettait au contraire un levier puissant aux mains des forts. Ils étaient rares d'ailleurs, ceux-là. Si Jean était vraiment un homme supérieur, il le pourrait montrer maintenant qu'il se trouvait à l'abri du besoin. Mais il lui faudrait travailler cent fois plus qu'il ne l'aurait fait en d'autres circonstances. Il ne s'agissait pas de plaider pour ou contre la veuve et l'orphelin et d'empocher tant d'écus pour tout procès gagné ou perdu, mais de devenir un jurisconsulte éminent, une lumière du droit.

Et il ajouta comme conclusion:

—Si j'avais de l'argent, moi, j'en découperais, des cadavres!

Le père Roland haussa les épaules:

—Tra la la! Le plus sage dans la vie c'est de se la couler douce. Nous ne sommes pas des bêtes de peine, mais des hommes. Quand on naît pauvre, il faut travailler; eh bien! tant pis, on travaille; mais quand on a des rentes, sacristi! il faudrait être jobard pour s'esquinter le tempérament.

Pierre répondit avec hauteur:

—Nos tendances ne sont pas les mêmes! Moi, je ne respecte au monde que le savoir et l'intelligence, tout le reste est méprisable.

Mme Roland s'efforçait toujours d'amortir les heurts incessants entre le père et le fils; elle détourna donc la conversation, et parla d'un meurtre qui avait été commis, la semaine précédente, à Bolbec-Nointot. Les esprits aussitôt furent occupés par les circonstances environnant le forfait, et attirés par l'horreur intéressante, par le mystère attrayant des crimes, qui, même vulgaires, honteux et répugnants, exercent sur la curiosité humaine une étrange et générale fascination.

De temps en temps, cependant, le père Roland tirait sa montre:

—Allons, dit-il, il va falloir se mettre en route.

Pierre ricana:

—Il n'est pas encore une heure. Vrai, ça n'était point la peine de me faire manger une côtelette froide.

—Viens-tu chez le notaire? demanda sa mère.

Il répondit sèchement:

—Moi, non, pourquoi faire? Ma présence est fort inutile.

Jean demeurait silencieux comme s'il ne s'agissait point de lui. Quand on avait parlé du meurtre de Bolbec, il avait émis, en juriste, quelques idées et développé quelques considérations sur les crimes et sur les criminels. Maintenant, il se taisait de nouveau, mais la clarté de son œil, la rougeur animée de ses joues, jusqu'au luisant de sa barbe, semblaient proclamer son bonheur.

Après le départ de sa famille, Pierre, se trouvant seul de nouveau, recommença ses investigations du matin à travers les appartements à louer. Après deux ou trois heures d'escaliers montés et descendus, il découvrit enfin, sur le boulevard François-Ier, quelque chose de joli: un grand entre-sol avec deux portes sur des rues différentes, deux salons, une galerie vitrée où les malades, en attendant leur tour, se promèneraient au milieu des fleurs, et une délicieuse salle à manger en rotonde ayant vue sur la mer.

Au moment de louer, le prix de trois mille francs l'arrêta, car il fallait payer d'avance le premier terme, et il n'avait rien, pas un sou devant lui.

La petite fortune amassée par son père s'élevait à peine à huit mille francs de rentes, et Pierre se faisait ce reproche d'avoir mis souvent ses parents dans l'embarras par ses longues hésitations dans le choix d'une carrière, ses tentatives toujours abandonnées et ses continuels recommencements d'études. Il partit donc en promettant une réponse avant deux jours; et l'idée lui vint de demander à son frère ce premier trimestre, ou même le semestre, soit quinze cents francs, dès que Jean serait en possession de son héritage.

«Ce sera un prêt de quelques mois à peine, pensait-il. Je le rembourserai peut-être même avant la fin de l'année. C'est tout simple, d'ailleurs, et il sera content de faire cela pour moi.»

Comme il n'était pas encore quatre heures, et qu'il n'avait rien à faire, absolument rien, il alla s'asseoir dans le Jardin public; et il demeura longtemps sur son banc, sans idées, les yeux à terre, accablé par une lassitude qui devenait de la détresse.

Tous les jours précédents, depuis son retour dans la maison paternelle, il avait vécu ainsi pourtant, sans souffrir aussi cruellement du vide de l'existence et de son inaction. Comment avait-il donc passé son temps du lever jusqu'au coucher?

Il avait flâné sur la jetée aux heures de marée, flâné par les rues, flâné dans les cafés, flâné chez Marowsko, flâné partout. Et voilà que, tout à coup, cette vie, supportée jusqu'ici, lui devenait odieuse, intolérable. S'il avait eu quelque argent il aurait pris une voiture pour faire une longue promenade dans la campagne le long des fossés de ferme ombragés de hêtres et d'ormes; mais il devait compter le prix d'un bock ou d'un timbre-poste, et ces fantaisies-là ne lui étaient point permises. Il songea soudain combien il est dur, à trente ans passés, d'être réduit à demander, en rougissant, un louis à sa mère, de temps en temps; et il murmura, en grattant la terre du bout de sa canne:

—Cristi! si j'avais de l'argent!

Et la pensée de l'héritage de son frère entra en lui de nouveau, à la façon d'une piqûre de guêpe; mais il la chassa avec impatience, ne voulant point s'abandonner sur cette pente de jalousie.

Autour de lui des enfants jouaient dans la poussière

des chemins. Ils étaient blonds avec de longs cheveux, et ils faisaient d'un air très sérieux, avec une attention grave, de petites montagnes de sable pour les écraser ensuite d'un coup de pied.

Pierre était dans un de ces jours mornes où on regarde dans tous les coins de son âme, où on en secoue tous les plis.

«Nos besognes ressemblent aux travaux de ces mioches,» pensait-il. Puis il se demanda si le plus sage dans la vie n'était pas encore d'engendrer deux ou trois de ces petits êtres inutiles et de les regarder grandir avec complaisance et curiosité. Et le désir du mariage l'effleura. On n'est pas si perdu, n'étant plus seul. On entend au moins remuer quelqu'un près de soi aux heures de trouble et d'incertitude, c'est déjà quelque chose de dire «tu» à une femme, quand on souffre.

Il se prit à songer aux femmes.

Il les connaissait très peu, n'ayant eu au quartier Latin que des liaisons de quinzaine, rompues quand était mangé l'argent du mois, et renouées ou remplacées le mois suivant. Il devait exister, cependant, des créatures très bonnes, très douces et très consolantes. Sa mère n'avait-elle pas été la raison et le charme du foyer paternel? Comme il aurait voulu connaître une femme, une vraie femme!

Il se releva tout à coup avec la résolution d'aller faire une petite visite à Mme Rosémilly.

Puis il se rassit brusquement. Elle lui déplaisait, celle-là! Pourquoi? Elle avait trop de bon sens vulgaire et bas; et puis, ne semblait-elle pas lui préférer Jean? Sans se l'avouer à lui-même d'une façon nette, cette préférence entrait pour beaucoup dans sa mésestime pour l'intelligence de la veuve, car, s'il aimait son frère, il ne pouvait s'abstenir de le juger un peu médiocre et de se croire supérieur.

Il n'allait pourtant point rester là jusqu'à la nuit, et, comme la veille au soir, il se demanda anxieusement: «Que vais-je faire?»

Il se sentait maintenant à l'âme un besoin de s'attendrir, d'être embrassé et consolé. Consolé de quoi? Il ne l'aurait su dire, mais il était dans une de ces heures de faiblesse et de lassitude où la présence d'une femme, la caresse d'une femme, le toucher d'une main, le frôlement d'une robe, un doux regard noir ou bleu semblent indispensables, et tout de suite, à notre cœur.

Et le souvenir lui vint d'une petite bonne de brasserie ramenéc un soir chez elle et revue de temps en temps.

Il se leva donc de nouveau pour aller boire un bock avec cette fille. Que lui dirait-il? Que lui dirait-elle? Rien, sans doute. Qu'importe? Il lui tiendrait la main quelques secondes! Elle semblait avoir du goût pour lui. Pourquoi donc ne la voyait-il pas plus souvent?

Il la trouva sommeillant sur une chaise dans la salle de brasserie presque vide. Trois buveurs fumaient leurs pipes, accoudés aux tables de chêne, la caissière lisait un roman, tandis que le patron, en manches de chemise, dormait tout à fait sur la banquette.

Dès qu'elle l'aperçut, la fille se leva vivement et, venant à lui:

—Bonjour, comment allez-vous?

—Pas mal, et toi?

—Moi, très bien. Comme vous êtes rare?

—Oui, j'ai très peu de temps à moi. Tu sais que je suis médecin.

—Tiens, vous ne me l'aviez pas dit. Si j'avais su, j'ai été souffrante la semaine dernière, je vous aurais consulté. Qu'est-ce que vous prenez?

—Un bock, et toi?

—Moi, un bock aussi, puisque tu me le payes.

Et elle continua à le tutoyer comme si l'offre de cette

consommation en avait été la permission tacite. Alors, assis face à face, ils causèrent. De temps en temps elle lui prenait la main avec cette familiarité facile des filles dont la caresse est à vendre, et le regardant avec des yeux engageants elle lui disait:

—Pourquoi ne viens-tu pas plus souvent? Tu me plais beaucoup, mon chéri.

Mais déjà il se dégoûtait d'elle, la voyait bête, commune, sentant le peuple. Les femmes, se disait-il, doivent nous apparaître dans un rêve ou dans une auréole de luxe qui poétise leur vulgarité.

Elle lui demandait:

—Tu es passé l'autre matin avec un beau blond à grande barbe, est-ce ton frère?

—Oui, c'est mon frère.

—Il est rudement joli garçon.

—Tu trouves?

—Mais oui, et puis il a l'air d'un bon vivant.

Quel étrange besoin le poussa tout à coup à raconter à cette servante de brasserie l'héritage de Jean? Pourquoi cette idée, qu'il rejetait de lui lorsqu'il se trouvait seul, qu'il repoussait par crainte du trouble apporté dans son âme, lui vint-elle aux lèvres en cet instant, et pourquoi la laissa-t-il couler, comme s'il eût eu besoin de vider de nouveau devant quelqu'un son cœur gonflé d'amertume?

Il dit en croisant ses jambes:

—Il a joliment de la chance, mon frère, il vient d'hériter de vingt mille francs de rentes.

Elle ouvrit tout grands ses yeux bleus et cupides:

—Oh! et qui est-ce qui lui a laissé cela, sa grand'mère ou bien sa tante?

—Non, un vieil ami de mes parents.

—Rien qu'un ami? Pas possible! Et il ne t'a rien laissé, à toi?

—Non. Moi je le connaissais très peu.

Elle réfléchit quelques instants, puis, avec un sourire drôle sur les lèvres:

—Eh bien! il a de la chance ton frère d'avoir des amis de cette espèce-là! Vrai, ça n'est pas étonnant qu'il te ressemble si peu!

Il eut envie de la gifler sans savoir au juste pourquoi, et il demanda, la bouche crispée:

—Qu'est-ce que tu entends par là?

Elle avait pris un air bête et naïf:

—Moi, rien. Je veux dire qu'il a plus de chance que toi.

Il jeta vingt sous sur la table et sortit.

Maintenant il se répétait cette phrase: «Ça n'est pas étonnant qu'il te ressemble si peu.»

Qu'avait-elle pensé, qu'avait-elle sous-entendu dans ces mots? Certes il y avait là une malice, une méchanceté, une infamie. Oui, cette fille avait dû croire que Jean était le fils de Maréchal.

L'émotion qu'il ressentit à l'idée de ce soupçon jeté sur sa mère fut si violente, qu'il s'arrêta et qu'il chercha de l'œil un endroit pour s'asseoir.

Un autre café se trouvait en face de lui, il y entra, prit une chaise, et comme le garçon se présentait: «Un bock», dit-il.

Il sentait battre son cœur; des frissons lui couraient sur la peau. Et tout à coup le souvenir lui vint de ce qu'avait dit Marowsko la veille: «Ça ne fera pas un bon effet.» Avait-il eu la même pensée, le même soupçon que cette drôlesse?

La tête penchée sur son bock il regardait la mousse blanche pétiller et fondre, et il se demandait: «Est-ce possible qu'on croie une chose pareille?»

Les raisons qui feraient naître ce doute odieux dans les esprits lui apparaissaient maintenant, l'une après

l'autre, claires, évidentes, exaspérantes. Qu'un vieux garçon sans héritiers laisse sa fortune aux deux enfants d'un
ami, rien de plus simple et de plus naturel, mais qu'il la
donne tout entière à un seul de ces enfants, certes le
monde s'étonnera, chuchotera et finira par sourire. Comment n'avait-il pas prévu cela, comment son père ne
l'avait-il pas senti, comment sa mère ne l'avait-elle pas
deviné? Non, il s'étaient trouvés trop heureux de cet
argent inespéré pour que cette idée les effleurât. Et puis
comment ces honnêtes gens auraient-ils soupçonné une
pareille ignominie?

Mais le public, mais le voisin, le marchand, le fournis-
seur, tous ceux qui les connaissaient n'allaient-ils pas
répéter cette chose abominable, s'en amuser, s'en réjouir,
rire de son père et mépriser sa mère?

Et la remarque faite par la fille de brasserie que Jean
était blond et lui brun, qu'ils ne se ressemblaient ni de
figure, ni de démarche, ni de tournure, ni d'intelligence,
frapperait maintenant tous les yeux et tous les esprits.
Quand on parlerait d'un fils Roland on dirait: «Lequel,
le vrai ou le faux?»

Il se leva avec la résolution de prévenir son frère, de
le mettre en garde contre cet affreux danger menaçant
l'honneur de leur mère. Mais que ferait Jean? Le plus
simple, assurément, serait de refuser l'héritage qui irait
alors aux pauvres, et de dire seulement aux amis et connaissances informés de ce legs que le testament contenait
des clauses et conditions inacceptables qui auraient fait
de Jean, non pas un héritier, mais un dépositaire.

Tout en rentrant à la maison paternelle, il songeait
qu'il devait voir son frère seul, afin de ne point parler
devant ses parents d'un pareil sujet.

Dès la porte il entendit un grand bruit de voix et de
rires dans le salon, et, comme il entrait, il entendit Mme

Rosémilly et le capitaine Beausire, ramenés par son père
et gardés à dîner afin de fêter la bonne nouvelle.

On avait fait apporter du vermout et de l'absinthe
pour se mettre en appétit, et on s'était mis d'abord en
belle humeur. Le capitaine Beausire, un petit homme
tout rond à force d'avoir roulé sur la mer, et dont toutes
les idées semblaient rondes aussi, comme les galets des
rivages, et qui riait avec des *r* plein la gorge, jugeait la
vie une chose excellente dont tout était bon à prendre.

Il trinquait avec le père Roland, tandis que Jean présentait aux dames deux nouveaux verres pleins.

Mme Rosémilly refusait, quand le capitaine Beausire,
qui avait connu feu son époux, s'écria:

—Allons, allons, madame, *bis repetita placent,* comme
nous disons en patois, ce qui signifie: «Deux vermouts ne
font jamais mal.» Moi, voyez-vous, depuis que je ne
navigue plus, je me donne comme ça, chaque jour, avant
dîner, deux ou trois coups de roulis artificiel! J'y ajoute
un coup de tangage après le café, ce qui me fait grosse
mer pour la soirée. Je ne vais jamais jusqu'à la tempête
par exemple, jamais, jamais, car je crains les avaries.

Roland, dont le vieux long-courrier flattait la manie
nautique, riait de tout son cœur, la face déjà rouge et
l'œil troublé par l'absinthe. Il avait un gros ventre de
boutiquier, rien qu'un ventre où semblait réfugié le reste
de son corps, un de ces ventres mous d'hommes toujours
assis, qui n'ont plus ni cuisses, ni poitrine, ni bras, ni
cou, le fond de leur chaise ayant tassé toute leur matière
au même endroit.

Beausire au contraire, bien que court et gros, semblait
plein comme un œuf et dur comme une balle.

Mme Roland n'avait point vidé son premier verre, et,
rose de bonheur, le regard brillant, elle contemplait son
fils Jean.

Chez lui maintenant la crise de joie éclatait. C'était une affaire finie, une affaire signée, il avait vingt mille francs de rentes. Dans la façon dont il riait, dont il parlait avec une voix plus sonore, dont il regardait les gens, à ses manières plus nettes, à son assurance plus grande, on sentait l'aplomb que donne l'argent.

Le dîner fut annoncé, et comme le vieux Roland allait offrir son bras à Mme Rosémilly: «Non, non, père, cria sa femme, aujourd'hui tout est pour Jean.»

Sur la table éclatait un luxe inaccoutumé: devant l'assiette de Jean, assis à la place de son père, un énorme bouquet rempli de faveurs de soie, un vrai bouquet de grande cérémonie, s'élevait comme un dôme pavoisé, flanqué de quatre compotiers dont l'un contenait une pyramide de pêches magnifiques, le second un gâteau monumental gorgé de crème fouettée et couvert de clochettes de sucre fondu, une cathédrale en biscuit, le troisième des tranches d'ananas noyées dans un sirop clair, et le quatrième, luxe inouï, du raisin noir, venu des pays chauds.

—Bigre! dit Pierre en s'asseyant, nous célébrons l'avènement de Jean le Riche.

Après le potage on offrit du madère; et tout le monde déjà parlait en même temps. Beausire racontait un dîner qu'il avait fait à Saint-Domingue à la table d'un général nègre. Le père Roland l'écoutait, tout en cherchant à glisser entre les phrases le récit d'un autre repas donné par un de ses amis, à Meudon, et dont chaque convive avait été quinze jours malade. Mme Rosémilly, Jean et sa mère faisaient un projet d'excursion et de déjeuner à Saint-Jouin, dont ils se promettaient déjà un plaisir infini; et Pierre regrettait de ne pas avoir dîné seul, dans une gargote au bord de la mer, pour éviter tout ce bruit, ces rires et cette joie qui l'énervaient.

Il cherchait comment il allait s'y prendre, maintenant,

pour dire à son frère ses craintes et pour le faire renoncer à cette fortune acceptée déjà, dont il jouissait, dont
il se grisait d'avance. Ce serait dur pour lui, certes, mais
il le fallait; il ne pouvait hésiter, la réputation de leur
mère était menacée.

L'apparition d'un bar énorme rejeta Roland dans les
récits de pêche. Beausire en narra de surprenantes au
Gabon, à Sainte-Marie de Madagascar et surtout sur les
côtes de la Chine et du Japon, où les poissons ont des
figures drôles comme les habitants. Et il racontait les
mines de ces poissons, leurs gros yeux d'or, leurs ventres bleus ou rouges, leurs nageoires bizarres, pareilles à
des éventails, leur queue coupée en croissant de lune, en
mimant d'une façon si plaisante que tout le monde riait
aux larmes en l'écoutant.

Seul, Pierre paraissait incrédule et murmurait: «On a
bien raison de dire que les Normands sont les Gascons
du Nord.»

Après le poisson vint un vol-au-vent, puis un poulet
rôti, une salade, des haricots verts et un pâté d'alouettes
de Pithiviers. La bonne de Mme Rosémilly aidait au
service; et la gaieté allait croissant avec le nombre des
verres de vin. Quand sauta le bouchon de la première
bouteille de champagne, le père Roland, très excité, imita
avec sa bouche le bruit de cette détonation, puis déclara:

—J'aime mieux ça qu'un coup de pistolet.

Pierre, de plus en plus agacé, répondit en ricanant:

—Cela est peut-être, cependant, plus dangereux pour
toi.

Roland, qui allait boire, reposa son verre plein sur la
table et demanda:

—Pourquoi donc?

Depuis longtemps il se plaignait de sa santé, de lour-
deurs, de vertiges, de malaises constants et inexplicables.
Le docteur reprit:

—Parce que la balle du pistolet peut fort bien passer à côté de toi, tandis que le verre de vin te passe forcément dans le ventre.

—Et puis?

—Et puis il te brûle l'estomac, désorganise le système nerveux, alourdit la circulation et prépare l'apoplexie dont sont menacés tous les hommes de ton tempérament.

L'ivresse croissante de l'ancien bijoutier paraissait dissipée comme une fumée par le vent; et il regardait son fils avec des yeux inquiets et fixes, cherchant à comprendre s'il ne se moquait pas.

Mais Beausire s'écria:

—Ah! ces sacrés médecins, toujours les mêmes: ne mangez pas, ne buvez pas, n'aimez pas, et ne dansez pas en rond. Tout ça fait du bobo à petite santé. Eh bien! j'ai pratiqué tout ça, moi, monsieur, dans toutes les parties du monde, partout où j'ai pu, et le plus que j'ai pu, et je ne m'en porte pas plus mal.

Pierre répondit avec aigreur:

—D'abord, vous, capitaine, vous êtes plus fort que mon père; et puis tous les viveurs parlent comme vous jusqu'au jour où. . . et ils ne reviennent pas le lendemain dire au médecin prudent: «Vous aviez raison, docteur.» Quand je vois mon père faire ce qu'il y a de plus mauvais et de plus dangereux pour lui, il est bien naturel que je le prévienne. Je serais un mauvais fils si j'agissais autrement.

Mme Roland, désolée, intervint à son tour:

—Voyons, Pierre, qu'est-ce que tu as? Pour une fois, ça ne lui fera pas de mal. Songe quelle fête pour lui, pour nous. Tu vas gâter tout son plaisir et nous chagriner tous. C'est vilain, ce que tu fais là!

Il murmura en haussant les épaules:

—Qu'il fasse ce qu'il voudra, je l'ai prévenu.

Mais le père Roland ne buvait pas. Il regardait son

verre, son verre plein de vin lumineux et clair, dont
l'âme légère, l'âme enivrante s'envolait par petites bulles
venues du fond et montant, pressées et rapides, s'éva-
porer à la surface; il le regardait avec une méfiance de
renard qui trouve une poule morte et flaire un piège.

Il demanda, en hésitant:

—Tu crois que ça me ferait beaucoup de mal?

Pierre eut un remords et se reprocha de faire souffrir
les autres de sa mauvaise humeur.

—Non, va, pour une fois, tu peux le boire; mais n'en
abuse point et n'en prends pas l'habitude.

Alors le père Roland leva son verre sans se décider
encore à le porter à sa bouche. Il le contemplait doulou-
reusement, avec envie et avec crainte; puis il le flaira,
le goûta, le but par petits coups, en les savourant, le
cœur plein d'angoisse, de faiblesse et de gourmandise,
puis de regrets, dès qu'il eut absorbé la dernière goutte.

Pierre, soudain, rencontra l'œil de Mme Rosémilly; il
était fixé sur lui limpide et bleu, clairvoyant et dur. Et
il sentit, il pénétra, il devina la pensée nette qui animait
ce regard, la pensée irritée de cette petite femme à l'esprit simple et droit, car ce regard disait: «Tu es jaloux,
toi. C'est honteux, cela.»

Il baissa la tête en se remettant à manger.

Il n'avait pas faim, il trouvait tout mauvais. Une
envie de partir le harcelait, une envie de n'être plus au
milieu de ces gens, de ne plus les entendre causer, plaisanter et rire.

Cependant le père Roland, que les fumées du vin re-
commençaient à troubler, oubliait déjà les conseils de
son fils et regardait d'un œil oblique et tendre une bouteille de champagne presque pleine encore à côté de son
assiette. Il n'osait la toucher, par crainte d'admonesta-
tion nouvelle, et il cherchait par quelle malice, par quelle
adresse, il pourrait s'en emparer sans éveiller les re-

marques de Pierre. Une ruse lui vint, la plus simple de toutes: il prit la bouteille avec nonchalance et, la tenant par le fond, tendit le bras à travers la table pour emplir d'abord le verre du docteur qui était vide; puis il fit le tour des autres verres, et quand il en vint au sien il se mit à parler très haut, et s'il versa quelque chose dedans on eût juré certainement que c'était par inadvertance. Personne d'ailleurs n'y fit attention.

Pierre, sans y songer, buvait beaucoup. Nerveux et agacé, il prenait à tout instant, et portait à ses lèvres d'un geste inconscient la longue flûte de cristal où l'on voyait courir les bulles dans le liquide vivant et transparent. Il le faisait alors couler très lentement dans sa bouche pour sentir la petite piqûre sucrée du gaz évaporé sur sa langue.

Peu à peu une chaleur douce emplit son corps. Partie du ventre, qui semblait en être le foyer, elle gagnait la poitrine, envahissait les membres, se répandait dans toute la chair, comme une onde tiède et bienfaisante portant de la joie avec elle. Il se sentait mieux, moins impatient, moins mécontent; et sa résolution de parler à son frère ce soir-là même s'affaiblissait, non pas que la pensée d'y renoncer l'eût effleuré, mais pour ne point troubler si vite le bien-être qu'il sentait en lui.

Beausire se leva afin de porter un toast.

Ayant salué à la ronde il prononça:

—Très gracieuses dames, Messeigneurs, nous sommes réunis pour célébrer un événement heureux qui vient de frapper un de nos amis. On disait autrefois que la fortune était aveugle, je crois qu'elle était simplement myope ou malicieuse et qu'elle vient de faire emplette d'une excellente jumelle marine, qui lui a permis de distinguer dans le port du Havre le fils de notre brave camarade Roland, capitaine de la *Perle*.

Des bravos jaillirent des bouches, soutenus par des

battements de mains; et Roland père se leva pour répondre.

Après avoir toussé, car il sentait sa gorge grasse et sa
langue un peu lourde, il bégaya:

—Merci, capitaine, merci pour moi et mon fils. Je
n'oublierai jamais votre conduite en cette circonstance.
Je bois à vos désirs.

Il avait les yeux et le nez pleins de larmes, et il se
rassit, ne trouvant plus rien.

Jean, qui riait, prit la parole à son tour:

—C'est moi, dit-il, qui dois remercier ici les amis
dévoués, les amis excellents (il regardait Mme Rosémilly), qui me donnent aujourd'hui cette preuve tou-
chante de leur affection. Mais ce n'est point par des
paroles que je peux leur témoigner ma reconnaissance.
Je la leur prouverai demain, à tous les instants de ma
vie, toujours, car notre amitié n'est point de celles qui
passent.

Sa mère, fort émue, murmura:

—Très bien, mon enfant.

Mais Beausire s'écriait:

—Allons, Madame Rosémilly, parlez au nom du beau
sexe.

Elle leva son verre, et, d'une voix gentille, un peu
nuancée de tristesse:

—Moi, dit-elle, je bois à la mémoire bénie de M.
Maréchal.

Il y eut quelques secondes d'accalmie, de recueillement
décent, comme après une prière, et Beausire, qui avait le
compliment coulant, fit cette remarque:

—Il n'y a que les femmes pour trouver de ces délica-
tesses.

Puis se tournant vers Roland père:

—Au fond, qu'est-ce que c'était que ce Maréchal?
Vous étiez donc bien intimes avec lui?

Le vieux, attendri par l'ivresse, se mit à pleurer, et d'une voix bredouillante:

—Un frère. . . vous savez. . . un de ceux qu'on ne retrouve plus. . . nous ne nous quittions pas. . . il dînait à la maison tous les soirs. . . et il nous payait de petites fêtes au théâtre. . . je ne vous dis que ça. . . que ça. . . que ça. . . Un ami, un vrai. . . un vrai. . . n'est-ce pas, Louise?

Sa femme répondit simplement:

—Oui, c'était un fidèle ami.

Pierre regardait son père et sa mère, mais comme on parla d'autre chose, il se remit à boire.

De la fin de cette soirée il n'eut guère de souvenir. On avait pris le café, absorbé des liqueurs, et beaucoup ri en plaisantant. Puis il se coucha, vers minuit, l'esprit confus et la tête lourde. Et il dormit comme une brute jusqu'à neuf heures le lendemain.

IV

Ce sommeil baigné de champagne et de chartreuse l'avait sans doute adouci et calmé, car il s'éveilla en des dispositions d'âme très bienveillantes. Il appréciait, pesait et résumait, en s'habillant, ses émotions de la veille, cherchant à en dégager bien nettement et bien complètement les causes réelles, secrètes, les causes personnelles en même temps que les causes extérieurs.

Il se pouvait en effet que la fille de brasserie eût eu une mauvaise pensée, une vraie pensée de prostituée, en apprenant qu'un seul des fils Roland héritait d'un inconnu; mais ces créatures-là n'ont-elles pas toujours des soupçons pareils, sans l'ombre d'un motif, sur toutes les honnêtes femmes? Ne les entend-on pas, chaque fois qu'elles parlent, injurier, calomnier, diffamer toutes celles qu'elles devinent irréprochables? Chaque fois qu'on cite devant elles une personne inattaquable, elles se fâchent, comme si on les outrageait, et s'écrient: «Ah! tu sais, je les connais tes femmes mariées, c'est du propre! Elles ont plus d'amants que nous, seulement elles les cachent parce qu'elles sont hypocrites. Ah! oui, c'est du propre!»

En toute autre occasion il n'aurait certes pas compris, pas même supposé possibles des insinuations de cette nature sur sa pauvre mère, si bonne, si simple, si digne. Mais il avait l'âme troublée par ce levain de jalousie qui fermentait en lui. Son esprit surexcité, à l'affût pour ainsi dire, et malgré lui, de tout ce qui pouvait nuire à son frère, avait même peut-être prêté à cette vendeuse de bocks des intentions odieuses qu'elle n'avait pas eues. Il se pouvait que son imagination seule, cette imagination qu'il ne gouvernait point, qui échappait sans cesse à sa volonté, s'en allait libre, hardie, aventureuse et sournoise dans l'univers infini des idées, et en rapportait parfois d'inavouables, de honteuses, qu'elle cachait en lui, au fond de son âme, dans les replis insondables, comme des choses volées; il se pouvait que cette imagination seule eût créé, inventé cet affreux doute. Son cœur, assurément, son propre cœur avait des secrets pour lui; et ce cœur blessé n'avait-il pas trouvé dans ce doute abominable un moyen de priver son frère de cet héritage qu'il jalousait. Il se suspectait lui-même, à présent, interrogeant, comme les dévots leur conscience, tous les mystères de sa pensée.

Certes, Mme Rosémilly, bien que son intelligence fût limitée, avait le tact, le flair et le sens subtil des femmes. Or cette idée ne lui était pas venue, puisqu'elle avait bu, avec une simplicité parfaite, à la mémoire bénie de feu Maréchal. Elle n'aurait point fait cela, elle, si le moindre soupçon l'eût effleurée. Maintenant il ne doutait plus, son mécontentement involontaire de la fortune tombée sur son frère et aussi, assurément, son amour religieux pour sa mère avaient exalté ses scrupules, scrupules pieux et respectables, mais exagérés.

En formulant cette conclusion, il fut content, comme on l'est d'une bonne action accomplie, et il se résolut à se montrer gentil pour tout le monde, en commençant par son père dont les manies, les affirmations niaises, les opinions vulgaires et la médiocrité trop visible l'irritaient sans cesse.

Il ne rentra pas en retard à l'heure du déjeuner et il amusa toute sa famille par son esprit et par sa bonne humeur.

Sa mère lui disait, ravie:

—Mon Pierrot, tu ne te doutes pas comme tu es drôle et spirituel, quand tu veux bien.

Et il parlait, trouvait des mots, faisait rire par des portraits ingénieux de leurs amis. Beausire lui servit de cible, et un peu Mme Rosémilly, mais d'une façon discrète, pas trop méchante. Et il pensait, en regardant son frère: «Mais défends-la donc, jobard; tu as beau être riche, je t'éclipserai toujours quand il me plaira.»

Au café, il dit à son père:

—Est-ce que tu te sers de la *Perle* aujourd'hui?

—Non, mon garçon.

—Je peux la prendre avec Jean-Bart?

—Mais oui, tant que tu voudras.

Il acheta un bon cigare, au premier débit de tabac rencontré, et il descendit, d'un pied joyeux, vers le port.

Il regardait le ciel clair, lumineux, d'un bleu léger, rafraîchi, lavé par la brise de la mer.

Le matelot Papagris, dit Jean-Bart, sommeillait au fond de la barque qu'il devait tenir prête à sortir tous les jours à midi, quand on n'allait pas à la pêche le matin.

—A nous deux, patron! cria Pierre.

Il descendit l'échelle de fer du quai et sauta dans l'embarcation.

—Quel vent? dit-il.

—Toujours vent d'amont, m'sieu Pierre. J'avons bonne brise au large.

—Eh bien! mon père, en route.

Ils hissèrent la misaine, levèrent l'ancre, et le bateau, libre, se mit à glisser lentement vers la jetée sur l'eau calme du port. Le faible souffle d'air venu par les rues tombait sur le haut de la voile, si doucement qu'on ne sentait rien, et la *Perle* semblait animée d'une vie propre, de la vie des barques, poussée par une force mystérieuse cachée en elle. Pierre avait pris la barre, et, le cigare aux dents, les jambes allongées sur le banc, les yeux mi-fermés, sous les rayons aveuglants du soleil, il regardait passer contre lui les grosses pièces de bois goudronné du brise-lames.

Quand ils débouchèrent en pleine mer, en atteignant la pointe de la jetée nord qui les abritait, la brise, plus fraîche, glissa sur le visage et sur les mains du docteur comme une caresse un peu froide, entra dans sa poitrine qui s'ouvrit, en un long soupir, pour la boire, et, enflant la voile brune qui s'arrondit, fit s'incliner la *Perle* et la rendit plus alerte.

Jean-Bart tout à coup hissa le foc, dont le triangle, plein de vent, semblait une aile, puis gagnant l'arrière en deux enjambées il dénoua le tapecul amarré contre son mât.

Alors, sur le flanc de la barque couchée brusquement, et courant maintenant de toute sa vitesse, ce fut un bruit doux et vif d'eau qui bouillonne et qui fuit.

L'avant ouvrait la mer, comme le soc d'une charrue folle, et l'onde soulevée, souple et blanche d'écume, s'arrondissait et retombait, comme retombe, brune et lourde, la terre labourée des champs.

A chaque vague rencontrée,—elles étaient courtes et rapprochées,—une secousse secouait la *Perle* du bout du foc au gouvernail qui frémissait dans la main de Pierre; et quand le vent, pendant quelques secondes, soufflait plus fort, les flots effleuraient le bordage comme s'ils allaient envahir la barque. Un vapeur charbonnier de Liverpool était à l'ancre attendant la marée; ils allèrent tourner par derrière, puis ils visitèrent, l'un après l'autre, les navires en rade, puis ils s'éloignèrent un peu plus pour voir se dérouler la côte.

Pendant trois heures, Pierre, tranquille, calme et content, vagabonda sur l'eau frémissante, gouvernant, comme une bête ailée, rapide et docile, cette chose de bois et de toile qui allait et venait à son caprice, sous une pression de ses doigts.

Il rêvassait, comme on rêvasse sur le dos d'un cheval ou sur le pont d'un bateau, pensant à son avenir, qui serait beau, et à la douceur de vivre avec intelligence. Dès le lendemain il demanderait à son frère de lui prêter, pour trois mois, quinze cents francs afin de s'installer tout de suite dans le joli appartement du boulevard François-Ier.

Le matelot dit tout à coup:

—V'là d'la brume, m'sieu Pierre, faut rentrer.

Il leva les yeux et aperçut vers le nord une ombre grise, profonde et légère, noyant le ciel et couvrant la mer, accourant vers eux, comme un nuage tombé d'en haut.

Il vira de bord, ct vent arrière fit route vers la jetée, suivi par la brume rapide qui le gagnait. Lorsqu'elle atteignit la *Perle*, l'enveloppant dans son imperceptible épaisseur, un frisson de froid courut sur les membres de Pierre, et une odeur de fumée et de moisissure, l'odeur bizarre des brouillards marins, lui fit fermer la bouche pour ne point goûter cette nuée humide et glacée. Quand la barque reprit dans le port sa place accoutumée, la ville entière était ensevelie déjà sous cette vapeur menue, qui, sans tomber, mouillait comme une pluie et glissait sur les maisons et les rues à la façon d'un fleuve qui coule.

Pierre, les pieds et les mains gelés, rentra vite, et se jeta sur son lit pour sommeiller jusqu'au dîner.

Lorsqu'il parut dans la salle à manger, sa mère disait à Jean:

—La galerie sera ravissante. Nous y mettrons des fleurs. Tu verras. Je me chargerai de leur entretien et de leur renouvellement. Quand tu donneras des fêtes, ça aura un coup d'œil féerique.

—De quoi parlez-vous donc? demanda le docteur.

—D'un appartement délicieux que je viens de louer

pour ton frère. Une trouvaille, un entresol donnant sur deux rues. Il a deux salons, une galerie vitrée et une petite salle à manger en rotonde, toute à fait coquette pour un garçon.

Pierre pâlit. Une colère lui serrait le cœur.

—Où est-ce situé, cela? dit-il.

—Boulevard François-Ier.

Il n'eut plus de doute et s'assit, tellement exaspéré qu'il avait envie de crier: «C'est trop fort à la fin! Il n'y en a donc plus que pour lui!»

Sa mère, radieuse, parlait toujours:

—Et figure-toi que j'ai eu cela pour deux mille huit cents francs. On en voulait trois mille, mais j'ai obtenu deux cents francs de diminution en faisant un bail de trois, six ou neuf ans. Ton frère sera parfaitement là dedans. Il suffit d'un intérieur élégant pour faire la fortune d'un avocat. Cela attire le client, le séduit, le retient, lui donne du respect et lui fait comprendre qu'un homme ainsi logé fait payer cher ses paroles.

Elle se tut quelques secondes, et reprit:

—Il faudrait trouver quelque chose d'approchant pour toi, bien plus modeste puisque tu n'as rien, mais assez gentil tout de même. Je t'assure que cela te servirait beaucoup.

Pierre répondit d'un ton dédaigneux:

—Oh! moi, c'est par le travail et la science que j'arriverai.

Sa mère insista:

—Oui, mais je t'assure qu'un joli logement te servirait beaucoup tout de même.

Vers le milieu du repas il demanda tout à coup:

—Comment l'aviez-vous connu, ce Maréchal?

Le père Roland leva la tête et chercha dans ses souvenirs:

—Attends, je ne me rappelle plus trop. C'est si vieux.

Ah! oui, j'y suis. C'est ta mère qui a fait sa connaissance dans la boutique, n'est-ce pas, Louise? Il était
venu commander quelque chose, et puis il est revenu
souvent. Nous l'avons connu comme client avant de le
connaître comme ami.

Pierre, qui mangeait des flageolets et les piquait un à
un avec une pointe de sa fourchette, comme s'il les eût
embrochés, reprit:

—A quelle époque ça s'est-il fait, cette connaissance-
là?

Roland chercha de nouveau, mais ne se souvenant plus
de rien, il fit appel à la mémoire de sa femme:

—En quelle année, voyons, Louise, tu ne dois pas
avoir oublié, toi qui as un si bon souvenir? Voyons,
c'était en. . . en. . . en cinquante-cinq ou cinquante-
six? . . . Mais cherche donc, tu dois le savoir mieux que
moi?

Elle chercha quelque temps en effet, puis d'une voix
sûre et tranquille:

—C'était en cinquante-huit, mon gros. Pierre avait
alors trois ans. Je suis bien certaine de ne pas me tromper, car c'est l'année où l'enfant eut la fièvre scarlatine,
et Maréchal, que nous connaissions encore très peu, nous
a été d'un grand secours.

Roland s'écria:

—C'est vrai, c'est vrai, il a été admirable même!
Comme ta mère n'en pouvait plus de fatigue et que moi
j'étais occupé à la boutique, il allait chez le pharmacien
chercher tes médicaments. Vraiment, c'était un brave
cœur. Et quand tu as été guéri, tu ne te figures pas
comme il fut content et comme il t'embrassait. C'est à
partir de ce moment-là que nous sommes devenus de
grands amis.

Et cette pensée brusque, violente, entra dans l'âme
de Pierre comme une balle qui troue et déchire: «Puis-

qu'il m'a connu le premier, qu'il fut si dévoué pour moi, puisqu'il m'aimait et m'embrassait tant, puisque je suis la cause de sa grande liaison avec mes parents, pourquoi a-t-il laissé toute sa fortune à mon frère et rien à moi?»

Il ne posa plus de questions et demeura sombre, absorbé plutôt que songeur, gardant en lui une inquiétude nouvelle, encore indécise, le germe secret d'un nouveau mal.

Il sortit de bonne heure et se remit à rôder par les rues. Elles étaient ensevelies sous le brouillard qui rendait pesante, opaque et nauséabonde la nuit. On eût dit une fumée pestilentielle abattue sur la terre. On la voyait passer sur les becs de gaz qu'elle paraissait éteindre par moments. Les pavés des rues devenaient glissants comme par les soirs de verglas, et toutes les mauvaises odeurs semblaient sortir du ventre des maisons, puanteurs des caves, des fosses, des égouts, des cuisines pauvres, pour se mêler à l'affreuse senteur de cette brume errante.

Pierre, le dos arrondi et les mains dans ses poches, ne voulant point rester dehors par ce froid, se rendit chez Marowsko.

Sous le bec de gaz qui veillait pour lui, le vieux pharmacien dormait toujours. En reconnaissant Pierre, qu'il aimait d'un amour de chien fidèle, il secoua sa torpeur, alla chercher deux verres et apporta la groseillette.

—Eh bien! demanda le docteur, où en êtes-vous avec votre liqueur?

Le Polonais expliqua comment quatre des principaux cafés de la ville consentaient à la lancer dans la circulation, et comment *le Phare de la Côte* et *le Sémaphore havrais* lui feraient de la réclame en échange de quelques produits pharmaceutiques mis à la disposition des rédacteurs.

Après un long silence, Marowsko demanda si Jean,

décidément, était en possession de sa fortune; puis il fit
encore deux ou trois questions vagues sur le même sujet.
Son dévouement ombrageux pour Pierre se révoltait de
cette préférence. Et Pierre croyait l'entendre penser,
devinait, comprenait, lisait dans ses yeux détournés, dans
le ton hésitant de sa voix, les phrases qui lui venaient
aux lèvres et qu'il ne disait pas, qu'il ne dirait point, lui
si prudent, si timide, si cauteleux.

Maintenant il ne doutait plus, le vieux pensait: «Vous
n'auriez pas dû lui laisser accepter cet héritage qui fera
mal parler de votre mère.» Peut-être même croyait-il
que Jean était le fils de Maréchal. Certes il le croyait!
Comment ne le croirait-il pas, tant la chose devait pa-
raître vraisemblable, probable, évidente? Mais lui-même,
lui Pierre, le fils, depuis trois jours ne luttait-il pas de
toute sa force, avec toutes les subtilités de son cœur, pour
tromper sa raison, ne luttait-il pas contre ce soupçon
terrible?

Et de nouveau, tout à coup, le besoin d'être seul pour
songer, pour discuter cela avec lui-même, pour envisager
hardiment, sans scrupules, sans faiblesse, cette chose possible et monstrueuse, entra en lui si dominateur qu'il se
leva sans même boire son verre de groseillette, serra la
main du pharmacien stupéfait et se replongea dans le
brouillard de la rue.

Il se disait: «Pourquoi ce Maréchal a-t-il laissé toute
sa fortune à Jean?»

Ce n'était plus la jalousie maintenant qui lui faisait
chercher cela, ce n'était plus cette envie un peu basse et
naturelle qu'il savait cachée en lui et qu'il combattait
depuis trois jours, mais la terreur d'une chose épouvan-
table, la terreur de croire lui-même que Jean, que son
frère était le fils de cet homme!

Non, il ne le croyait pas, il ne pouvait même se poser
cette question criminelle! Cependant il fallait que ce

soupçon si léger, si invraisemblable, fût rejeté de lui,
complètement, pour toujours. Il lui fallait la lumière, la
certitude, il fallait dans son cœur la sécurité complète,
car il n'aimait que sa mère au monde.

Et tout seul en errant par la nuit, il allait faire, dans
ses souvenirs, dans sa raison, l'enquête minutieuse d'où
résulterait l'éclatante vérité. Après cela ce serait fini, il
n'y penserait plus, plus jamais. Il irait dormir.

Il songeait: «Voyons, examinons d'abord les faits; puis
je me rappellerai tout ce que je sais de lui, de son allure
avec mon frère et avec moi, je chercherai toutes les
causes qui ont pu motiver cette préférence. . . Il a vu
naître Jean?—oui, mais il me connaissait auparavant.—
S'il avait aimé ma mère d'un amour muet et réservé, c'est
moi qu'il aurait préféré puisque c'est grâce à moi, grâce
à ma fièvre scarlatine, qu'il est devenu l'ami intime de
mes parents. Donc, logiquement, il devait me choisir,
avoir pour moi une tendresse plus vive, à moins qu'il
n'eût éprouvé pour mon frère, en le voyant grandir, une
attraction, une prédilection instinctives.»

Alors il chercha dans sa mémoire, avec une tension
désespérée de toute sa pensée, de toute sa puissance intellectuelle, à reconstituer, à revoir, à reconnaître, à pénétrer l'homme, cet homme qui avait passé devant lui,
indifférent à son cœur, pendant toutes ses années de
Paris.

Mais il sentit que la marche, le léger mouvement de
ses pas, troublait un peu ses idées, dérangeait leur fixité,
affaiblissait leur portée, voilait sa mémoire.

Pour jeter sur le passé et les événements inconnus ce
regard aigu, à qui rien ne devait échapper, il fallait qu'il
fût immobile, dans un lieu vaste et vide. Et il se décida
à aller s'asseoir sur la jetée, comme l'autre nuit.

En approchant du port il entendit vers la pleine mer
une plainte lamentable et sinistre, pareille au meugle-

ment d'un taureau, mais plus longue et plus puissante.
C'était le cri d'une sirène, le cri des navires perdus dans
la brume.

Un frisson remua sa chair, crispa son cœur, tant il
avait retenti dans son âme et dans ses nerfs, ce cri de
détresse, qu'il croyait avoir jeté lui-même. Une autre
voix semblable gémit à son tour, un peu plus loin; puis,
tout près, la sirène du port, leur répondant, poussa une
clameur déchirante.

Pierre gagna la jetée à grands pas, ne pensant plus
à rien, satisfait d'entrer dans ces ténèbres lugubres et
mugissantes.

Lorsqu'il se fut assis à l'extrémité du môle, il ferma
les yeux pour ne point voir les foyers électriques, voilés
de brouillard, qui rendent le port accessible la nuit, ni le
feu rouge du phare sur la jetée sud, qu'on distinguait à
peine cependant. Puis se tournant à moitié, il posa ses
coudes sur le granit et cacha sa figure dans ses mains.

Sa pensée, sans qu'il prononçât ce mot avec ses lèvres,
répétait comme pour l'appeler, pour évoquer et provoquer son ombre: «Maréchal! . . . Maréchal!» Et dans le
noir de ses paupières baissées, il le vit tout à coup tel
qu'il l'avait connu. C'était un homme de soixante ans,
portant en pointe sa barbe blanche, avec des sourcils
épais, tout blancs aussi. Il n'était ni grand ni petit,
avait l'air affable, les yeux gris et doux, le geste modeste,
l'aspect d'un brave être, simple et tendre. Il appelait
Pierre et Jean «mes chers enfants», n'avait jamais paru
préférer l'un ou l'autre, et les recevait ensemble à dîner.

Et Pierre, avec une ténacité de chien qui suit une piste
évaporée, se mit à rechercher les paroles, les gestes, les
intonations, les regards de cet homme disparu de la
terre. Il le retrouvait peu à peu, tout entier, dans son
appartement de la rue Tronchet quand il les recevait à
table, son frère et lui.

Deux bonnes le servaient, vieilles toutes deux, qui avaient pris, depuis bien longtemps sans doute, l'habitude de dire «monsieur Pierre» et «monsieur Jean».

Maréchal tendait ses deux mains aux jeunes gens, la droite à l'un, la gauche à l'autre, au hasard de leur entrée.

—Bonjour, mes enfants, disait-il, avez-vous des nouvelles de vos parents? Quant à moi, ils ne m'écrivent jamais.

On causait, doucement et familièrement, de choses ordinaires. Rien de hors ligne dans l'esprit de cet homme, mais beaucoup d'aménité, de charme et de grâce. C'était certainement pour eux un bon ami, un de ces bons amis auxquels on ne songe guère parce qu'on les sent très sûrs.

Maintenant les souvenirs affluaient dans l'esprit de Pierre. Le voyant soucieux plusieurs fois, et devinant sa pauvreté d'étudiant, Maréchal lui avait offert et prêté, spontanément, de l'argent, quelques centaines de francs peut-être, oubliées par l'un et par l'autre et jamais rendues. Donc cet homme l'aimait toujours, s'intéressait toujours à lui, puisqu'il s'inquiétait de ses besoins. Alors. . . alors pourquoi laisser toute sa fortune à Jean? Non, il n'avait jamais été visiblement plus affectueux pour le cadet que pour l'aîné, plus préoccupé de l'un que de l'autre, moins tendre en apparence avec celui-ci qu'avec celui-là. Alors. . . alors. . . il avait donc eu une raison puissante et secrète de tout donner à Jean—tout —et rien à Pierre.

Plus il y songeait, plus il revivait le passé des dernières années, plus le docteur jugeait invraisemblable, incroyable cette différence établie entre eux.

Et une souffrance aiguë, une inexprimable angoisse entrée dans sa poitrine, faisait aller son cœur comme une loque agitée. Les ressorts en paraissaient brisés, et le sang y passait à flots, librement, en le secouant d'un ballottement tumultueux.

Alors, à mi-voix, comme on parle dans les cauchemars, il murmura: «Il faut savoir. Mon Dieu, il faut savoir.»

Il cherchait plus loin, maintenant, dans les temps plus anciens où ses parents habitaient Paris. Mais les visages lui échappaient, ce qui brouillait ses souvenirs. Il s'acharnait surtout à retrouver Maréchal avec des cheveux blonds, châtains ou noirs? Il ne le pouvait pas, la dernière figure de cet homme, sa figure de vieillard, ayant effacé les autres. Il se rappelait pourtant qu'il était plus mince, qu'il avait la voix douce et qu'il apportait souvent des fleurs, très souvent, car son père répétait sans cesse: «Encore des bouquets! mais c'est de la folie, mon cher, vous vous ruinerez en roses.»

Maréchal répondait: «Laissez donc, cela me fait plaisir.»

Et soudain l'intonation de sa mère, de sa mère qui souriait et disait: «Merci, mon ami,» lui traversa l'esprit, si nette qu'il crut l'entendre. Elle les avait donc prononcés bien souvent, ces trois mots, pour qu'ils se fussent gravés ainsi dans la mémoire de son fils!

Donc Maréchal apportait des fleurs, lui, l'homme riche, le monsieur, le client, à cette petite boutiquière, à la femme de ce bijoutier modeste. L'avait-il aimée? Comment serait-il devenu l'ami de ces marchands s'il n'avait pas aimé la femme? C'était un homme instruit, d'esprit assez fin. Que de fois il avait parlé poètes et poésie avec Pierre! Il n'appréciait point les écrivains en artiste, mais en bourgeois qui vibre. Le docteur avait souvent souri de ces attendrissements, qu'il jugeait un peu niais. Aujourd'hui il comprenait que cet homme sentimental n'avait jamais pu, jamais, être l'ami de son père, de son père si positif, si terre à terre, si lourd, pour qui le mot «poésie» signifiait sottise.

Donc, ce Maréchal, jeune, libre, riche, prêt à toutes les tendresses, était entré, un jour, par hasard, dans une boutique, ayant remarqué peut-être la jolie marchande. Il avait acheté, était revenu, avait causé, de jour en jour plus familier, et payant par des acquisitions fréquentes le droit de s'asseoir dans cette maison, de sourire à la jeune femme et de serrer la main du mari.

Et puis après... après... oh! mon Dieu... après?...

Il avait aimé et caressé le premier enfant, l'enfant du bijoutier, jusqu'à la naissance de l'autre, puis il était demeuré impénétrable jusqu'à la mort, puis, son tombeau fermé, sa chair décomposée, son nom effacé des noms vivants, tout son être disparu pour toujours, n'ayant plus rien à ménager, à redouter et à cacher, il avait donné toute sa fortune au deuxième enfant!... Pourquoi?... Cet homme était intelligent... il avait dû comprendre et prévoir qu'il pouvait, qu'il allait presque infailliblement laisser supposer que cet enfant était à lui.—Donc il déshonorait une femme? Comment aurait-il fait cela si Jean n'était point son fils?

Et soudain un souvenir précis, terrible, traversa l'âme de Pierre. Maréchal avait été blond, blond comme Jean. Il se rappelait maintenant un petit portrait miniature vu autrefois, à Paris, sur la cheminée de leur salon, et disparu à présent. Où était-il? Perdu, ou caché? Oh! s'il pouvait le tenir rien qu'une seconde! Sa mère l'avait gardé peut-être dans le tiroir inconnu où l'on serre les reliques d'amour.

Sa détresse, à cette pensée, devint si déchirante qu'il poussa un gémissement, une de ces courtes plaintes arrachées à la gorge par les douleurs trop vives. Et soudain, comme si elle l'eût entendu, comme si elle l'eût compris et lui eût répondu, la sirène de la jetée hurla tout près de lui. Sa clameur de monstre surnaturel, plus retentissante que le tonnerre, rugissement sauvage et formidable

fait pour dominer les voix du vent et des vagues, se ré-
pandit dans les ténèbres sur la mer invisible ensevelie
sous les brouillards.

Alors, à travers la brume, proches ou lointains, des
cris pareils s'élevèrent de nouveau dans la nuit. Ils
étaient effrayants, ces appels poussés par les grands paquebots aveugles.

Puis tout se tut encore.

Pierre avait ouvert les yeux et regardait, surpris d'être
là, réveillé de son cauchemar.

«Je suis fou, pensa-t-il, je soupçonne ma mère.» Et
un flot d'amour et d'attendrissement, de repentir, de
prière et de désolation noya son cœur. Sa mère! La
connaissant comme il la connaissait, comment avait-il pu
la suspecter? Est-ce que l'âme, est-ce que la vie de cette
femme simple, chaste et loyale, n'étaient pas plus claires
que l'eau? Quand on l'avait vue et connue, comment ne
pas la juger insoupçonnable? Et c'était lui, le fils, qui
avait douté d'elle! Oh! s'il avait pu la prendre en
ses bras en ce moment, comme il l'eût embrassée,
caressée, comme il se fût agenouillé pour demander
grâce!

Elle aurait trompé son père, elle? ... Son père! Certes, c'était un brave homme, honorable et probe en
affaires, mais dont l'esprit n'avait jamais franchi l'horizon de sa boutique. Comment cette femme, fort jolie
autrefois, il le savait et on le voyait encore, douée d'une
âme délicate, affectueuse, attendrie, avait-elle accepté
comme fiancé et comme mari un homme si différent
d'elle?

Pourquoi chercher? Elle avait épousé comme les fil-
lettes épousent le garçon doté que présentent les parents.
Ils s'étaient installés aussitôt dans leur magasin de la rue
Montmartre; et la jeune femme, régnant au comptoir,
animée par l'esprit du foyer nouveau, par ce sens subtil

et sacré de l'intérêt commun qui remplace l'amour et même l'affection dans la plupart des ménages commerçants de Paris, s'était mise à travailler avec toute son intelligence active et fine à la fortune espérée de leur maison. Et sa vie s'était écoulée ainsi, uniforme, tranquille, honnête, sans tendresse! . . .

Sans tendresse? . . . Etait-il possible qu'une femme n'aimât point? Une femme jeune, jolie, vivant à Paris, lisant des livres, applaudissant des actrices mourant de passion sur la scène, pouvait-elle aller de l'adolescence à la vieillesse sans qu'une fois seulement, son cœur fût touché? D'une autre il ne le croirait pas, pourquoi le croirait-il de sa mère?

Certes, elle avait pu aimer, comme une autre! car pourquoi serait-elle différente d'une autre, bien qu'elle fût sa mère?

Elle avait été jeune, avec toutes les défaillances poétiques qui troublent le cœur des jeunes êtres! Enfermée, emprisonnée dans la boutique à côté d'un mari vulgaire et parlant toujours commerce, elle avait rêvé de clairs de lune, de voyages, de baisers donnés dans l'ombre des soirs. Et puis un homme, un jour, était entré comme entrent les amoureux dans les livres, et il avait parlé comme eux.

Elle l'avait aimé. Pourquoi pas? C'était sa mère! Eh bien! Fallait-il être aveugle et stupide au point de rejeter l'évidence parce qu'il s'agissait de sa mère?

S'était-elle donnée? . . . Mais oui, puisque cet homme n'avait pas eu d'autre amie;—mais oui, puisqu'il était resté fidèle à la femme éloignée et vieillie;—mais oui, puisqu'il avait laissé toute sa fortune à son fils, à leur fils! . . .

Et Pierre se leva, frémissant d'une telle fureur qu'il eût voulu tuer quelqu'un! Son bras tendu, sa main grande ouverte avaient envie de frapper, de meurtrir, de broyer, d'étrangler! Qui? tout le monde, son père, son frère, le mort, sa mère!

Il s'élança pour rentrer. Qu'allait-il faire?

Comme il passait devant une tourelle auprès du mât des signaux, le cri strident de la sirène lui partit dans la figure. Sa surprise fut si violente qu'il faillit tomber et recula jusqu'au parapet de granit. Il s'y assit, n'ayant plus de force, brisé par cette commotion.

Le vapeur qui répondit le premier semblait tout proche et se présentait à l'entrée, la marée étant haute.

Pierre se retourna et aperçut son œil rouge, terni de brume. Puis, sous la clarté diffuse des feux électriques du port, une grande ombre noire se dessina entre les deux jetées. Derrière lui, la voix du veilleur, voix enrouée de vieux capitaine en retraite, criait:

—Le nom du navire?

Et dans le brouillard le voix du pilote debout sur le pont, enrouée aussi, répondit:

—*Santa-Lucia.*

—Le pays?

—Italie.

—Le port?

—Naples.

Et Pierre devant ses yeux troublés crut apercevoir le panache de feu du Vésuve tandis qu'au pied du volcan, des lucioles voltigeaient dans les bosquets d'orangers de Sorrente ou de Castellamare! Que de fois il avait rêvé de ces noms familiers, comme s'il en connaissait les paysages. Oh! s'il avait pu partir, tout de suite, n'importe où, et ne jamais revenir, ne jamais écrire, ne jamais laisser savoir ce qu'il était devenu! Mais non, il fallait rentrer, rentrer dans la maison paternelle et se coucher dans son lit.

Tant pis, il ne rentrerait pas, il attendrait le jour. La voix des sirènes lui plaisait. Il se releva et se mit à marcher comme un officier qui fait le quart sur un pont.

Un autre navire s'approchait derrière le premier, énorme et mystérieux. C'était un anglais qui revenait des Indes.

Il en vit venir encore plusieurs, sortant l'un après l'autre de l'ombre impénétrable. Puis, comme l'humidité du brouillard devenait intolérable, Pierre se remit en route vers la ville. Il avait si froid qu'il entra dans un café de matelots pour boire un grog; et quand l'eau-de-vie poivrée et chaude lui eut brûlé le palais et la gorge, il sentit en lui renaître un espoir.

Il s'était trompé, peut-être? Il la connaissait si bien sa déraison vagabonde! Il s'était trompé sans doute? Il avait accumulé les preuves ainsi qu'on dresse un réquisitoire contre un innocent toujours facile à condamner quand on veut le croire coupable. Lorsqu'il aurait dormi, il penserait tout autrement. Alors il rentra pour se coucher, et, à force de volonté, il finit par s'assoupir.

V

Mais le corps du docteur s'engourdit à peine une heure ou deux dans l'agitation d'un sommeil troublé. Quand il se réveilla, dans l'obscurité de sa chambre chaude et fermée, il ressentit, avant même que la pensée se fût rallumée en lui, cette oppression douloureuse, ce malaise de l'âme que laisse en nous le chagrin sur lequel on a dormi. Il semble que le malheur, dont le choc nous a seulement heurté la veille, se soit glissé, durant notre repos, dans notre chair elle-même, qu'il meurtrit et fatigue comme une fièvre. Brusquement le souvenir lui revint, et il s'assit dans son lit.

Alors il recommença lentement, un à un, tous les raisonnements qui avaient torturé son cœur sur la jetée pendant que criaient les sirènes. Plus il songeait, moins il doutait. Il se sentait traîné par sa logique, comme par une main qui attire et étrangle, vers l'intolérable certitude.

Il avait soif, il avait chaud, son cœur battait. Il se leva pour ouvrir sa fenêtre et respirer, et, quand il fut debout, un bruit léger lui parvint à travers le mur.

Jean dormait tranquille et ronflait doucement. Il dormait, lui! Il n'avait rien pressenti, rien deviné! Un homme qui avait connu leur mère lui laissait toute sa fortune. Il prenait l'argent, trouvant cela juste et naturel.

Il dormait, riche et satisfait, sans savoir que son frère haletait de souffrance et de détresse. Et une colère se levait en lui contre ce ronfleur insouciant et content.

La veille, il eût frappé contre sa porte, serait entré, et,

assis près du lit, lui aurait dit dans l'effarement de son
réveil subit: «Jean, tu ne dois pas garder ce legs qui
pourrait demain faire suspecter notre mère et la dés-
honorer.»

Mais aujourd'hui il ne pouvait plus parler, il ne pouvait pas dire à Jean qu'il ne le croyait point le fils de
leur père. Il fallait à présent garder, enterrer en lui
cette honte découverte par lui, cacher à tous la tache
aperçue, et que personne ne devait découvrir, pas même
son frère, surtout son frère.

Il ne songeait plus guère maintenant au vain respect
de l'opinion publique. Il aurait voulu que tout le monde
accusât sa mère pourvu qu'il la sût innocente, lui, lui
seul! Comment pourrait-il supporter de vivre près d'elle,
tous les jours, et de croire, en la regardant, qu'elle avait
enfanté son frère de la caresse d'un étranger?

Comme elle était calme et sereine pourtant, comme
elle paraissait sûre d'elle! Etait-il possible qu'une femme
comme elle, d'une âme pure et d'un cœur droit, pût tomber, entraînée par la passion, sans que, plus tard, rien
n'apparût de ses remords, des souvenirs de sa conscience
troublée?

Ah! les remords! les remords! ils avaient dû, jadis,
dans les premiers temps, la torturer, puis ils s'étaient
effacés, comme tout s'efface. Certes, elle avait pleuré sa
faute, et, peu à peu, l'avait presque oubliée. Est-ce que
toutes les femmes, toutes, n'ont pas cette faculté d'oubli
prodigieuse qui leur fait reconnaître à peine, après quelques années passées, l'homme à qui elles ont donné leur
bouche et tout leur corps à baiser? Le baiser frappe
comme la foudre, l'amour passe comme un orage, puis la
vie, de nouveau, se calme comme le ciel, et recommence
ainsi qu'avant. Se souvient-on d'un nuage?

Pierre ne pouvait plus demeurer dans sa chambre!
Cette maison, la maison de son père l'écrasait. Il sentait

peser le toit sur sa tête et les murs l'étouffer. Et comme il avait très soif, il alluma sa bougie afin d'aller boire un verre d'eau fraîche au filtre de la cuisine.

Il descendit les deux étages, puis, comme il remontait avec la carafe pleine, il s'assit en chemise sur une marche de l'escalier où circulait un courant d'air, et il but, sans verre, par longues gorgées, comme un coureur essoufflé. Quand il eut cessé de remuer, le silence de cette demeure l'émut; puis, un à un, il en distingua les moindres bruits. Ce fut d'abord l'horloge de la salle à manger dont le battement lui paraissait grandir de seconde en seconde. Puis il entendit de nouveau un ronflement, un ronflement de vieux, court, pénible et dur, celui de son père sans aucun doute; et il fut crispé par cette idée, comme si elle venait seulement de jaillir en lui, que ces deux hommes qui ronflaient dans ce même logis, le père et le fils, n'étaient rien l'un à l'autre! Aucun lien, même le plus léger, ne les unissait; et ils ne le savaient pas! Ils se parlaient avec tendresse, ils s'embrassaient, se réjouissaient et s'attendrissaient ensemble des mêmes choses, comme si le même sang eût coulé dans leurs veines. Et deux personnes nées aux deux extrémités du monde ne pouvaient pas être plus étrangères l'une à l'autre que ce père et que ce fils. Ils croyaient s'aimer parce qu'un mensonge avait grandi entre eux. C'était un mensonge qui faisait cet amour paternel et cet amour filial, un mensonge impossible à dévoiler et que personne ne connaîtrait jamais que lui, le vrai fils.

Pourtant, pourtant, s'il se trompait? Comment le savoir? Ah! si une ressemblance, même légère, pouvait exister entre son père et Jean, une de ces ressemblances mystérieuses qui vont de l'aïeul aux arrière-petits-fils, montrant que toute une race descend directement du même baiser. Il aurait fallu si peu de chose, à lui médecin, pour reconnaître cela, la forme de la mâchoire, la

courbure du nez, l'écartement des yeux, la nature des
dents ou des poils, moins encore, un geste, une habitude,
une manière d'être, un goût transmis, un signe quelconque bien caractéristique pour un œil exercé.

Il cherchait et ne se rappelait rien, non, rien. Mais
il avait mal regardé, mal observé, n'ayant aucune raison
pour découvrir ces imperceptibles indications.

Il se leva pour rentrer dans sa chambre et se mit à
monter l'escalier, à pas lents, songeant toujours. En
passant devant la porte de son frère, il s'arrêta net, la
main tendue pour l'ouvrir. Un désir impérieux venait de
surgir en lui de voir Jean tout de suite, de le regarder
longuement, de le surprendre pendant le sommeil, pendant que la figure apaisée, que les traits détendus se
reposent, que toute la grimace de la vie a disparu. Il
saisirait ainsi le secret dormant de sa physionomie; et si
quelque ressemblance existait, appréciable, elle ne lui
échapperait pas.

Mais si Jean s'éveillait, que dirait-il? Comment expliquer cette visite?

Il demeurait debout, les doigts crispés sur la serrure
et cherchant une raison, un prétexte.

Il se rappela tout à coup que, huit jours plus tôt, il
avait prêté à son frère une fiole de laudanum pour calmer
une rage de dents. Il pouvait lui-même souffrir, cette
nuit-là, et venir réclamer sa drogue. Donc il entra, mais
d'un pied furtif, comme un voleur.

Jean, la bouche entr'ouverte, dormait d'un sommeil
animal et profond. Sa barbe et ses cheveux blonds faisaient une tache d'or sur le linge blanc. Il ne s'éveilla
point, mais il cessa de ronfler.

Pierre, penché vers lui, le contemplait d'un œil avide.
Non, ce jeune homme-là ne ressemblait pas à Roland;
et, pour la seconde fois, s'éveilla dans son esprit le souvenir du petit portrait disparu de Maréchal. Il fallait

qu'il le trouvât! En le voyant, peut-être, il ne douterait plus.

Son frère remua, gêné sans doute par sa présence, ou par la lueur de sa bougie pénétrant ses paupières. Alors le docteur recula, sur la pointe des pieds, vers la porte, qu'il referma sans bruit; puis il retourna dans sa chambre, mais il ne se coucha pas.

Le jour fut lent à venir. Les heures sonnaient, l'une après l'autre, à la pendule de la salle à manger, dont le timbre avait un son profond et grave, comme si ce petit instrument d'horlogerie eût avalé une cloche de cathédrale. Elles montaient, dans l'escalier vide, traversaient les murs et les portes, allaient mourir au fond des chambres dans l'oreille inerte des dormeurs. Pierre s'était mis à marcher de long en large, de son lit à sa fenêtre. Qu'allait-il faire? Il se sentait trop bouleversé pour passer ce jour-là dans sa famille. Il voulait encore rester seul, au moins jusqu'au lendemain, pour réfléchir, se calmer, se fortifier pour la vie de chaque jour qu'il lui faudrait reprendre.

Eh bien! il irait à Trouville, voir grouiller la foule sur la plage. Cela le distrairait, changerait l'air de sa pensée, lui donnerait le temps de se préparer à l'horrible chose qu'il avait découverte.

Dès que l'aurore parut, il fit sa toilette et s'habilla. Le brouillard s'était dissipé, il faisait beau, très beau. Comme le bateau de Trouville ne quittait le port qu'à neuf heures le docteur songea qu'il lui faudrait embrasser sa mère avant de partir.

Il attendit le moment où elle se levait tous les jours, puis il descendit. Son cœur battait si fort en touchant sa porte qu'il s'arrêta pour respirer. Sa main, posée sur la serrure, était molle et vibrante, presque incapable du léger effort de tourner le bouton pour entrer. Il frappa. La voix de sa mère demanda:

—Qui est-ce?

—Moi, Pierre.

—Qu'est-ce que tu veux?

—Te dire bonjour parce que je vais passer la journée à Trouville avec des amis.

—C'est que je suis encore au lit.

—Bon, alors ne te dérange pas. Je t'embrasscrai en rentrant, ce soir.

Il espéra qu'il pourrait partir sans la voir, sans poser sur ses joues le baiser faux qui lui soulevait le cœur d'avance.

Mais elle répondit:

—Un moment, je t'ouvre. Tu attendras que je me sois recouchée.

Il entendit ses pieds nus sur le parquet puis le bruit du verrou glissant. Elle cria:

—Entre.

Il entra. Elle était assise dans son lit tandis qu'à son côté, Roland, un foulard sur la tête et tourné vers le mur, s'obstinait à dormir. Rien ne l'éveillait tant qu'on ne l'avait pas secoué à lui arracher le bras. Les jours de pêche, c'était la bonne, sonnée à l'heure convenue par le matelot Papagris, qui venait tirer son maître de cet invincible repos.

Pierre, en allant vers elle, regardait sa mère; et il lui sembla tout à coup qu'il ne l'avait jamais vue.

Elle lui tendit ses joues, il y mit deux baisers, puis s'assit sur une chaise basse.

—C'est hier soir que tu as décidé cette partie? dit-elle.

—Oui, hier soir.

—Tu reviens pour dîner?

—Je ne sais pas encore. En tout cas, ne m'attendez point.

Il l'examinait avec une curiosité stupéfaite. C'était sa

mère, cette femme! Toute cette figure, vue dès l'enfance, dès que son œil avait pu distinguer, ce sourire, cette voix si connue, si familière, lui paraissaient brusquement nouveaux et autres de ce qu'ils avaient été jusque-là pour lui. Il comprenait à présent que, l'aimant, il ne l'avait jamais regardée. C'était bien elle pourtant, et il n'ignorait rien des plus petits détails de son visage; mais ces petits détails il les apercevait nettement pour la première fois. Son attention anxieuse, fouillant cette tête chérie, la lui révélait différente, avec une physionomie qu'il n'avait jamais découverte.

Il se leva pour partir, puis, cédant soudain à l'invincible envie de savoir qui lui mordait le cœur depuis la veille:

—Dis donc, j'ai cru me rappeler qu'il y avait autrefois, à Paris, un petit portrait de Maréchal dans notre salon.

Elle hésita une seconde ou deux; ou du moins il se figura qu'elle hésitait; puis elle dit:

—Mais oui.

—Et qu'est-ce qu'il est devenu, ce portrait?

Elle aurait pu répondre encore plus vite:

—Ce portrait. . . attends. . . je ne sais pas trop. . . Peut-être que je l'ai dans mon secrétaire.

—Tu serais bien aimable de le retrouver.

—Oui, je chercherai. Pourquoi le veux-tu?

—Oh! ce n'est pas pour moi. J'ai songé qu'il serait tout naturel de le donner à Jean, et que cela ferait plaisir à mon frère.

—Oui, tu as raison, c'est une bonne pensée. Je vais le chercher dès que je serai levée.

Et il sortit.

C'était un jour bleu, sans un souffle d'air. Les gens dans la rue semblaient gais, les commerçants allant à leurs affaires, les employés allant à leur bureau, les jeunes filles allant à leur magasin. Quelques-uns chantonnaient, mis en joie par la clarté.

Sur le bateau de Trouville, les passagers montaient déjà. Pierre s'assit, tout à l'arrière, sur un banc de bois.

Il se demandait:

—A-t-elle été inquiétée par ma question sur le portrait, ou seulement surprise! L'a-t-elle égaré ou caché? Sait-elle où il est, ou bien ne sait-elle pas? Si elle l'a caché, pourquoi?

Et son esprit, suivant toujours la même marche, de déduction en déduction, conclut ceci:

Le portrait, portrait d'ami, portrait d'amant, était resté dans le salon bien en vue, jusqu'au jour où la femme, où la mère s'était aperçue, la première, avant tout le monde, que ce portrait ressemblait à son fils. Sans doute, depuis longtemps, elle épiait cette ressemblance; puis, l'ayant découverte, l'ayant vue naître et comprenant que chacun pourrait, un jour ou l'autre, l'apercevoir aussi, elle avait enlevé, un soir, la petite peinture redoutable et l'avait cachée, n'osant pas la détruire.

Et Pierre se rappelait fort bien maintenant que cette miniature avait disparu longtemps, longtemps avant leur départ de Paris! Elle avait disparu, croyait-il, quand la barbe de Jean, se mettant à pousser, l'avait rendu tout à coup pareil au jeune homme blond qui souriait dans le cadre.

Le mouvement du bateau qui partait troubla sa pensée et la dispersa. Alors, s'étant levé, il regarda la mer.

Le petit paquebot sortit des jetées, tourna à gauche et soufflant, haletant, frémissant, s'en alla vers la côte lointaine qu'on apercevait dans la brume matinale. De place en place la voile rouge d'un lourd bateau de pêche immobile sur la mer plate avait l'air d'un gros rocher sortant de l'eau. Et la Seine descendant de Rouen semblait un large bras de mer séparant deux terres voisines.

En moins d'une heure on parvint au port de Trouville, et comme c'était le moment du bain, Pierre se rendit sur la plage.

De loin, elle avait l'air d'un long jardin plein de fleurs éclatantes. Sur la grande dune de sable jaune, depuis la jetée jusqu'aux Roches-Noires, les ombrelles de toutes les couleurs, les chapeaux de toutes les formes, les toilettes de toutes les nuances, par groupes devant les cabines, par lignes le long du flot ou dispersés çà et là, ressemblaient vraiment à des bouquets énormes dans une prairie démesurée. Et le bruit confus, proche et lointain des voix égrenées dans l'air léger, les appels, les cris d'enfants qu'on baigne, les rires clairs des femmes faisaient une rumeur continue et douce, mêlée à la brise insensible et qu'on aspirait avec elle.

Pierre marchait au milieu de ces gens, plus perdu, plus séparé d'eux, plus isolé, plus noyé dans sa pensée torturante, que si on l'avait jeté à la mer du pont d'un navire, à cent lieues au large. Il les frôlait, entendait, sans écouter, quelques phrases; et il voyait, sans regarder, les hommes parler aux femmes et les femmes sourire aux hommes.

Mais tout à coup, comme s'il s'éveillait, il les aperçut distinctement; et une haine surgit en lui contre eux, car ils semblaient heureux et contents.

Il allait maintenant, frôlant les groupes, tournant autour, saisi par des pensées nouvelles. Toutes ces toilettes multicolores qui couvraient le sable comme un bouquet, ces étoffes jolies, ces ombrelles voyantes, la grâce factice des tailles emprisonnées, toutes ces inventions ingénieuses de la mode depuis la chaussure mignonne jusqu'au chapeau extravagant, la séduction du geste, de la voix et du sourire, la coquetterie enfin étalée sur cette plage lui apparaissaient soudain comme une immense floraison de la perversité féminine. Toutes ces femmes parées voulaient plaire, séduire, et tenter quelqu'un. Elles s'étaient faites belles pour les hommes, pour tous les hommes, excepté pour l'époux qu'elles n'avaient plus besoin de conquérir. Elles s'étaient faites belles pour l'amant d'aujourd'hui et l'amant de demain, pour l'inconnu rencontré, remarqué, attendu peut-être.

Et ces hommes, assis près d'elles, les yeux dans les yeux, parlant la bouche près de la bouche, les appelaient et les désiraient, les chassaient comme un gibier souple et fuyant, bien qu'il semblât si proche et si facile. Cette vaste plage n'était donc qu'une halle d'amour où les unes se vendaient, les autres se donnaient, celles-ci marchandaient leurs caresses et celles-là se promettaient seulement. Toutes ces femmes ne pensaient qu'à la même chose, offrir et faire désirer leur chair déjà donnée, déjà vendue, déjà promise à d'autres hommes. Et il songea que sur la terre entière c'était toujours la même chose.

Sa mère avait fait comme les autres, voilà tout! Comme les autres?—non! il existait des exceptions, et beaucoup, beaucoup! Celles qu'il voyait autour de lui, des riches, des folles, des chercheuses d'amour, appartenaient en somme à la galanterie élégante et mondaine ou même à la galanterie tarifée, car on ne rencontrait pas sur les plages piétinées par la légion des désœuvrées, le peuple des honnêtes femmes enfermées dans la maison close.

La mer montait, chassant peu à peu vers la ville les premières lignes des baigneurs. On voyait les groupes se lever vivement et fuir, en emportant leurs sièges, devant le flot jaune qui s'en venait frangé d'une petite dentelle d'écume. Les cabines roulantes, attelées d'un cheval, remontaient aussi; et sur les planches de la promenade, qui borde la plage d'un bout à l'autre, c'était

maintenant une coulée continue, épaisse et lente, de foule
élégante, formant deux courants contraires qui se cou-
doyaient et se mêlaient. Pierre, nerveux, exaspéré par
ce frôlement, s'enfuit, s'enfonça dans la ville et s'arrêta
pour déjeuner chez un simple marchand de vins, à l'entrée des champs.

Quand il eut pris son café, il s'étendit sur deux chaises
devant la porte, et comme il n'avait guère dormi cette
nuit-là, il s'assoupit à l'ombre d'un tilleul.

Après quelques heures de repos, s'étant secoué, il
s'aperçut qu'il était temps de revenir pour reprendre le
bateau, et il se mit en route, accablé par une courbature
subite tombée sur lui pendant son assoupissement. Maintenant il voulait rentrer, il voulait savoir si sa mère avait
retrouvé le portrait de Maréchal. En parlerait-elle la
première, ou faudrait-il qu'il le demandât de nouveau?
Certes si elle attendait qu'on l'interrogeât encore, elle
avait une raison secrète de ne point montrer ce portrait.

Mais lorsqu'il fut rentré dans sa chambre, il hésita à
descendre pour le dîner. Il souffrait trop. Son cœur
soulevé n'avait pas encore eu le temps de s'apaiser. Il
se décida pourtant, et il parut dans la salle à manger
comme on se mettait à table.

Un air de joie animait les visages.

—Eh bien! dit Roland, ça avance-t-il, vos achats!
Moi, je ne veux rien voir avant que tout soit installé.

Sa femme répondit:

—Mais oui, ça va. Seulement il faut longtemps réfléchir pour ne pas commettre d'impair. La question du
mobilier nous préoccupe beaucoup.

Elle avait passé la journée à visiter avec Jean des bou-
tiques de tapissiers et des magasins d'ameublement. Elle
voulait des étoffes riches, un peu pompeuses, pour frapper l'œil. Son fils, au contraire, désirait quelque chose de
simple et de distingué. Alors, devant tous les échantil-

lons proposés, ils avaient répété, l'un et l'autre, leurs arguments. Elle prétendait que le client, le plaideur a besoin d'être impressionné, qu'il doit ressentir, en entrant dans le salon d'attente, l'émotion de la richesse.

Jean, au contraire, désirant n'attirer que la clientèle élégante et opulente, voulait conquérir l'esprit des gens fins par son goût modeste et sûr.

Et la discussion, qui avait duré toute la journée, reprit dès le potage.

Roland n'avait pas d'opinion. Il répétait:

—Moi, je ne veux entendre parler de rien. J'irai voir quand ce sera fini.

Mme Roland fit appel au jugement de son fils aîné.

—Voyons, toi, Pierre, qu'en penses-tu?

Il avait les nerfs tellement surexcités qu'il eut envie de répondre par un juron. Il dit cependant sur un ton sec, où vibrait son irritation:

—Oh! moi, je suis tout à fait de l'avis de Jean. Je n'aime que la simplicité, qui est, quand il s'agit de goût, comparable à la droiture quand il s'agit de caractère.

Sa mère reprit:

—Songe que nous habitons une ville de commerçants, où le bon goût ne court pas les rues.

Pierre répondit:

—Et qu'importe? Est-ce une raison pour imiter les sots? Si mes compatriotes sont bêtes ou malhonnêtes, ai-je besoin de suivre leur exemple? Une femme ne commettra pas une faute pour cette raison que ses voisines ont des amants.

Jean se mit à rire:

—Tu as des arguments par comparaison qui semblent pris dans les maximes d'un moraliste.

Pierre ne répliqua point. Sa mère et son frère recommencèrent à parler d'étoffes et de fauteuils.

Il les regardait comme il avait regardé sa mère, le

matin, avant de partir pour Trouville; il les regardait en
étranger qui observe, et il se croyait en effet entré tout
à coup dans une famille inconnue.

Son père, surtout, étonnait son œil et sa pensée. Ce
gros homme flasque, content et niais, c'était son père, à
lui! Non, non, Jean ne lui ressemblait en rien.

Sa famille! Depuis deux jours, une main inconnue et
malfaisante, la main d'un mort, avait arraché et cassé,
un à un, tous les liens qui tenaient l'un à l'autre ces
quatre êtres. C'était fini, c'était brisé. Plus de mère, car
il ne pourrait plus la chérir, ne la pouvant vénérer avec
ce respect absolu, tendre et pieux, dont a besoin le cœur
des fils; plus de frère, puisque ce frère était l'enfant
d'un étranger; il ne lui restait qu'un père, ce gros
homme, qu'il n'aimait pas, malgré lui.

Et tout à coup:

—Dis donc, maman, as-tu retrouvé ce portrait?

Elle ouvrit des yeux surpris:

—Quel portrait?

—Le portrait de Maréchal.

—Non. . . c'est-à-dire oui. . . je ne l'ai pas retrouvé,
mais je crois savoir où il est.

—Quoi donc? demanda Roland.

Pierre lui dit:

—Un petit portrait de Maréchal qui était autrefois
dans notre salon à Paris. J'ai pensé que Jean serait content de le posséder.

Roland s'écria:

—Mais oui, mais oui, je m'en souviens parfaitement;
je l'ai même vu encore à la fin de l'autre semaine. Ta
mère l'avait tiré de son secrétaire en rangeant ses pa-
piers. C'était jeudi ou vendredi. Tu te rappelles bien,
Louise? J'étais en train de me raser quand tu l'as pris
dans un tiroir et posé sur une chaise à côté de toi, avec
un tas de lettres dont tu as brûlé la moitié. Hein? est-ce

drôle que tu aies touché à ce portrait deux ou trois jours
à peine avant l'héritage de Jean? Si je croyais aux pres-
sentiments, je dirais que c'en est un!

Mme Roland répondit avec tranquillité:

—Oui, oui, je sais où il est; j'irai le chercher tout à
l'heure.

Donc elle avait menti! Elle avait menti en répondant,
ce matin-là même, à sons fils qui lui demandait ce qu'était
devenue cette miniature: «Je ne sais pas trop. . . peut-
être que je l'ai dans mon secrétaire.»

Elle l'avait vue, touchée, maniée, contemplée quelques
jours auparavant, puis elle l'avait recachée dans le tiroir
secret, avec des lettres, ses lettres à lui.

Pierre regardait sa mère, qui avait menti. Il la regardait avec une colère exaspérée de fils trompé, volé dans
son affection sacrée, et avec une jalousie d'homme longtemps aveugle qui découvre enfin une trahison honteuse.
S'il avait été le mari de cette femme, lui, son enfant, il
l'aurait saisie par les poignets, par les épaules ou par les
cheveux, et jetée à terre, frappée, meurtrie, écrasée! Et
il ne pouvait rien dire, rien faire, rien montrer, rien révéler. Il était son fils, il n'avait rien à venger, lui, on ne
l'avait pas trompé.

Mais oui, elle l'avait trompé dans sa tendresse, trompé
dans son pieux respect. Elle se devait à lui irréprochable, comme se doivent toutes les mères à leurs enfants.
Si la fureur dont il était soulevé arrivait presque à de
la haine, c'est qu'il la sentait plus criminelle envers lui
qu'envers son père lui-même.

L'amour de l'homme et de la femme est un pacte
volontaire où celui qui faiblit n'est coupable que de per-
fidie; mais quand la femme est devenue mère, son devoir
a grandi puisque la nature lui confie une race. Si elle
succombe alors, elle est lâche, indigne et infâme.

—C'est égal, dit tout à coup Roland en allongeant ses

jambes sous la table, comme il faisait chaque soir pour
siroter son verre de cassis, ça n'est pas mauvais de vivre
à rien faire quand on a une petite aisance. J'espère que
Jean nous offrira des dîners extra, maintenant. Ma foi,
tant pis si j'attrape quelquefois mal à l'estomac.

Puis se tournant vers sa femme:

—Va donc chercher ce portrait, ma chatte, puisque tu
as fini de manger. Ça me fera plaisir aussi de le revoir.

Elle se leva, prit une bougie et sortit. Puis, après une
absence qui parut longue à Pierre, bien qu'elle n'eût pas
duré trois minutes, Mme Roland rentra, souriante, et
tenant par l'anneau un cadre doré de forme ancienne.

—Voilà, dit-elle, je l'ai retrouvé presque tout de suite.

Le docteur, le premier, avait tendu la main. Il reçut
le portrait, et, d'un peu loin, à bout de bras, l'examina.
Puis, sentant bien que sa mère le regardait, il leva lentement les yeux sur son frère, pour comparer. Il faillit
dire, emporté par sa violence: «Tiens, cela ressemble à
Jean.» S'il n'osa pas prononcer ces redoutables paroles,
il manifesta sa pensée par la façon dont il comparait la
figure vivante à la figure peinte.

Elles avaient, certes, des signes communs: la même
barbe et le même front, mais rien d'assez précis pour
permettre de déclarer: «Voilà le père, et voilà le fils.»
C'était plutôt un air de famille, une parenté de physio-
nomies qu'anime le même sang. Or, ce qui fut pour
Pierre plus décisif encore que cette allure des visages,
c'est que sa mère s'était levée, avait tourné le dos et
feignait d'enfermer, avec trop de lenteur, le sucre et le
cassis dans un placard.

Elle avait compris qu'il savait ou du moins qu'il soupçonnait!

—Passe-moi donc ça, disait Roland.

Pierre tendit la miniature et son père attira la bougie
pour bien voir; puis il murmura d'une voix attendrie:

—Pauvre garçon! dire qu'il était comme ça quand nous l'avons connu. Cristi! comme ça va vite! Il était joli homme, tout de même, à cette époque, et si plaisant de manière, n'est-ce pas, Louise?

Comme sa femme ne répondait pas, il reprit:

—Et quel caractère égal! Je ne lui ai jamais vu de mauvaise humeur. Voilà, c'est fini, il n'en reste plus rien. . . que ce qu'il a laissé à Jean. Enfin, on pourra jurer que celui-là s'est montré bon ami et fidèle jusqu'au bout. Même en mourant il ne nous a pas oubliés.

Jean, à son tour, tendit le bras pour prendre le portrait. Il le contempla quelques instants, puis, avec regret:

—Moi, je ne le reconnais pas du tout. Je ne me le rappelle qu'avec ses cheveux blancs.

Et il rendit la miniature à sa mère. Elle y jeta un regard rapide, vite détourné, qui semblait craintif; puis de sa voix naturelle:

—Cela t'appartient maintenant, mon Jeannot, puisque tu es son héritier. Nous le porterons dans ton nouvel appartement.

Et comme on entrait au salon, elle posa la miniature sur la cheminée, près de la pendule, où elle était autrefois.

Roland bourrait sa pipe, Pierre et Jean allumèrent des cigarettes. Ils les fumaient ordinairement, l'un en marchant à travers la pièce, l'autre assis, enfoncé dans un fauteuil, et les jambes croisées. Le père se mettait toujours à cheval sur une chaise et crachait de loin dans la cheminée.

Mme Roland, sur un siège bas, près d'une petite table qui portait la lampe, brodait, tricotait ou marquait du linge.

Elle commençait, ce soir-là, une tapisserie destinée à la chambre de Jean. C'était un travail difficile et com-

pliqué dont le début exigeait toute son attention. De
temps en temps cependant son œil qui comptait les points
se levait et allait, prompt et furtif, vers le petit portrait
du mort appuyé contre la pendule. Et le docteur, qui
traversait l'étroit salon en quatre ou cinq enjambées, les
mains derrière le dos et la cigarette aux lèvres, rencontrait chaque fois le regard de sa mère.

On eût dit qu'ils s'épiaient, qu'une lutte venait de se
déclarer entre eux; et un malaise douloureux, un malaise
insoutenable crispait le cœur de Pierre. Il se disait, torturé et satisfait pourtant: «Doit-elle souffrir en ce moment, si elle sait que je l'ai devinée!» Et à chaque retour
vers le foyer, il s'arrêtait quelques secondes à contempler le visage blond de Maréchal, pour bien montrer
qu'une idée fixe le hantait. Et ce petit portrait, moins
grand qu'une main ouverte, semblait une personne vivante, méchante, redoutable, entrée soudain dans cette
maison et dans cette famille.

Tout à coup la sonnette de la rue tinta. Mme Roland,
toujours si calme, eut un sursaut qui révéla le trouble de
ses nerfs au docteur.

Puis elle dit: «Ça doit être Mme Rosémilly.» Et son
œil anxieux encore une fois se leva vers la cheminée.

Pierre comprit, ou crut comprendre sa terreur et son
angoisse. Le regard des femmes est perçant, leur esprit
agile, et leur pensée soupçonneuse. Quand celle qui allait
entrer apercevrait cette miniature inconnue, du premier
coup, peut-être, elle découvrirait la ressemblance entre
cette figure et celle de Jean. Alors elle saurait et com-
prendrait tout! Il eut peur, une peur brusque et horrible
que cette honte fût dévoilée, et se retournant, comme la
porte s'ouvrait, il prit la petite peinture et la glissa sous
la pendule sans que son père et son frère l'eussent vu.

Rencontrant de nouveau les yeux de sa mère, ils lui
parurent changés, troubles et hagards.

—Bonjour, disait Mme Rosémilly, je viens boire avec vous une tasse de thé.

Mais pendant qu'on s'agitait autour d'elle pour s'informer de sa santé, Pierre disparut par la porte restée ouverte.

Quand on s'aperçut de son départ, on s'étonna. Jean, mécontent à cause de la jeune veuve qu'il craignait blessée, murmurait:

—Quel ours!

Mme Roland répondit:

—Il ne faut pas lui en vouloir, il est un peu malade aujourd'hui et fatigué d'ailleurs de sa promenade à Trouville.

—N'importe, reprit Roland, ce n'est pas une raison pour s'en aller comme un sauvage.

Mme Rosémilly voulut arranger les choses en affirmant:

—Mais non, mais non, il est parti à l'anglaise; on se sauve toujours ainsi dans le monde quand on s'en va de bonne heure.

—Oh! répondit Jean, dans le monde, c'est possible, mais on ne traite pas sa famille à l'anglaise, et mon frère ne fait que cela, depuis quelque temps.

VI

Rien ne survint chez les Roland pendant une semaine ou deux. Le père pêchait, Jean s'installait aidé de sa mère, Pierre, très sombre, ne paraissait plus qu'aux heures des repas.

Son père lui ayant demandé un soir:

—Pourquoi diable nous fais-tu une figure d'enterrement? Ça n'est pas d'aujourd'hui que je le remarque!

Le docteur répondit:

—C'est que je sens terriblement le poids de la vie.

Le bonhomme n'y comprit rien et, d'un air désolé:

—Vraiment c'est trop fort. Depuis que nous avons eu le bonheur de cet héritage, tout le monde semble malheureux. C'est comme s'il nous était arrivé un accident, comme si nous pleurions quelqu'un!

—Je pleure quelqu'un, en effet, dit Pierre.

—Toi? qui donc?

—Oh! quelqu'un que tu n'as pas connu, et que j'aimais trop.

Roland s'imagina qu'il s'agissait d'une amourette, d'une personne légère courtisée par son fils, et il demanda:

—Une femme, sans doute?

—Oui, une femme.

—Morte?

—Non, c'est pis, perdue.

—Ah!

Bien qu'il s'étonnât de cette confidence imprévue, faite devant sa femme, et du ton bizarre de son fils, le vieux n'insista point, car il estimait que ces choses-là ne regardent pas les tiers.

Mme Roland semblait ne pas avoir entendu; elle paraissait malade, étant très pâle. Plusieurs fois déjà son mari, surpris de la voir s'asseoir comme si elle tombait sur son siège, de l'entendre souffler comme si elle ne pouvait plus respirer, lui avait dit:

—Vraiment, Louise, tu as mauvaise mine, tu te fatigues trop sans doute à installer Jean! Repose-toi un peu, sacristi! Il n'est pas pressé, le gaillard, puisqu'il est riche.

Elle remuait la tête sans répondre.

Sa pâleur, ce jour-là, devint si grande que Roland, de nouveau, la remarqua.

—Allons, dit-il, ça ne va pas du tout, ma pauvre vieille, il faut te soigner.

Puis se tournant vers son fils:

—Tu le vois bien, toi, qu'elle est souffrante, ta mère. L'as-tu examinée, au moins?

Pierre répondit:

—Non, je ne m'étais pas aperçu qu'elle eût quelque chose.

Alors Roland se fâcha:

—Mais ça crève les yeux, nom d'un chien! A quoi ça te sert-il d'être docteur alors, si tu ne t'aperçois même pas que ta mère est indisposée? Mais regarde-la, tiens, regarde-la. Non, vrai, on pourrait crever, ce médecin-là ne s'en douterait pas!

Mme Roland s'était mise à haleter, si blême que son mari s'écria:

—Mais elle va se trouver mal.

—Non. . . non. . . ce n'est rien. . . ça va passer. . . ce n'est rien.

Pierre s'était approché, et la regardant fixement:

—Voyons, qu'est-ce que tu as? dit-il.

Elle répétait, d'une voix basse, précipitée:

—Mais rien. . . rien. . . je t'assure. . . rien.

Roland était parti chercher du vinaigre; il rentra, et tendant la bouteille à son fils:

—Tiens. . . mais soulage-la donc, toi. As-tu tâté son cœur, au moins?

Comme Pierre se penchait pour prendre son pouls, elle retira sa main d'un mouvement si brusque qu'elle heurta une chaise voisine.

—Allons, dit-il d'une voix froide, laisse-toi soigner puisque tu es malade.

Alors elle souleva et lui tendit son bras. Elle avait la peau brûlante, les battements du sang tumultueux et saccadés. Il murmura:

—En effet, c'est assez sérieux. Il faudra prendre des calmants. Je vais te faire une ordonnance.

Et comme il écrivait, courbé sur son papier, un bruit léger de soupirs pressés, de suffocation, de souffles courts et retenus, le fit se retourner soudain.

Elle pleurait, les deux mains sur la face.

Roland, éperdu, demandait:

—Louise, Louise, qu'est-ce que tu as? mais qu'est-ce que tu as donc?

Elle ne répondait pas et semblait déchirée par un chagrin horrible et profond.

Son mari voulut prendre ses mains et les ôter de son visage. Elle résista, répétant:

—Non, non, non.

Il se tourna vers son fils.

—Mais qu'est-ce qu'elle a? Je ne l'ai jamais vue ainsi.

—Ce n'est rien, dit Pierre, une petite crise de nerfs.

Et il lui semblait que son cœur à lui se soulageait à la voir ainsi torturée, que cette douleur allégeait son ressentiment, diminuait la dette d'opprobre de sa mère. Il la contemplait comme un juge satisfait de sa besogne.

Mais soudain elle se leva, se jeta vers la porte, d'un élan si brusque qu'on ne put ni le prévoir ni l'arrêter ; et elle courut s'enfermer dans sa chambre.

Roland et le docteur demeurèrent face à face.

—Est-ce que tu y comprends quelque chose ? dit l'un.

—Oui, répondit l'autre, cela vient d'un simple petit malaise nerveux qui se déclare souvent à l'âge de maman. Il est probable qu'elle aura encore beaucoup de crises comme celle-là.

Elle en eut d'autres en effet, presque chaque jour, et que Pierre semblait provoquer d'une parole, comme s'il avait eu le secret de son mal étrange et inconnu. Il guettait sur sa figure les intermittences de repos, et, avec des ruses de tortionnaire, réveillait par un seul mot la douleur un instant calmée.

Et il souffrait autant qu'elle, lui ! Il souffrait affreusement de ne plus l'aimer, de ne plus la respecter et de la torturer. Quand il avait bien avivé la plaie saignante, ouverte par lui dans ce cœur de femme et de mère, quand il sentait combien elle était misérable et désespérée, il s'en allait seul, par la ville, si tenaillé par les remords, si meurtri par la pitié, si désolé de l'avoir ainsi broyée sous son mépris de fils, qu'il avait envie de se jeter à la mer, de se noyer pour en finir.

Oh ! comme il aurait voulu pardonner, maintenant ! mais il ne le pouvait point, étant incapable d'oublier. Si seulement il avait pu ne pas la faire souffrir ; mais il ne le pouvait pas non plus, souffrant toujours lui-même. Il rentrait aux heures des repas, plein de résolutions attendries, puis dès qu'il l'apercevait, dès qu'il voyait son œil, autrefois si droit et si franc, et fuyant à présent, craintif, éperdu, il frappait malgré lui, ne pouvant garder la phrase perfide qui lui montait aux lèvres.

L'infâme secret, connu d'eux seuls, l'aiguillonnait contre elle. C'était un venin qu'il portait à présent dans

les veines et qui lui donnait des envies de mordre à la
façon d'un chien enragé.

Rien ne le gênait plus pour la déchirer sans cesse, car
Jean habitait maintenant presque tout à fait son nouvel
appartement, et il revenait seulement pour dîner et pour
coucher, chaque soir, dans sa famille.

Il s'apercevait souvent des amertumes et des violences
de son frère, qu'il attribuait à la jalousie. Il se promettait bien de le remettre à sa place, et de lui donner une
leçon un jour ou l'autre, car la vie de famille devenait
fort pénible à la suite de ces scènes continuelles. Mais
comme il vivait à part maintenant, il souffrait moins de
ces brutalités ; et son amour de la tranquillité le poussait
à la patience. La fortune, d'ailleurs, l'avait grisé, et sa
pensée ne s'arrêtait plus guère qu'aux choses ayant pour
lui un intérêt direct. Il arrivait, l'esprit plein de petits
soucis nouveaux, préoccupé de la coupe d'une jaquette,
de la forme d'un chapeau de feutre, de la grandeur convenable pour des cartes de visite. Et il parlait avec persistance de tous les détails de sa maison, de planches
posées dans le placard de sa chambre pour serrer le
linge, de portemanteaux installés dans le vestibule, de
sonneries électriques disposées pour prévenir toute péné-
tration clandestine dans le logis.

Il avait été décidé qu'à l'occasion de son installation,
on ferait une partie de campagne à Saint-Jouin, et qu'on
reviendrait prendre le thé, chez lui, après dîner. Roland
voulait aller par mer, mais la distance et l'incertitude où
l'on était d'arriver par cette voie, si le vent contraire
soufflait, firent repousser son avis, et un break fut loué
pour cette excursion.

On partit vers dix heures afin d'arriver pour le déjeuner. La grand'route poudreuse se déployait à travers la
campagne normande que les ondulations des plaines et
les fermes entourées d'arbres font ressembler à un parc

sans fin. Dans la voiture emportée au trot lent de deux
gros chevaux, la famille Roland, Mme Rosémilly et le
capitaine Beausire sa taisaient, assourdis par le bruit
des roues, et fermaient les yeux dans un nuage de poussière.

C'était l'époque des récoltes mûres. A côté des trèfles
d'un vert sombre, et des betteraves d'un vert cru, les blés
jaunes éclairaient la campagne d'une lueur dorée et
blonde. Ils semblaient avoir bu la lumière du soleil tombée sur eux. On commençait à moissonner par places,
et, dans les champs attaqués par les faux, on voyait les
hommes se balancer en promenant au ras du sol leur
grande lame en forme d'aile.

Après deux heures de marche, le break prit un chemin à gauche, passa près d'un moulin à vent qui tournait,
mélancolique épave grise, à moitié pourrie et condamnée,
dernier survivant des vieux moulins, puis il entra dans
une jolie cour et s'arrêta devant une maison coquette,
auberge célèbre dans le pays.

La patronne, qu'on appelle la belle Alphonsine, s'en
vint, souriante, sur sa porte, et tendit la main aux
deux dames qui hésitaient devant le marchepied trop
haut.

Sous une tente, au bord de l'herbage ombragé de pom-
miers, des étrangers déjeunaient déjà, des Parisiens
venus d'Étretat; et on entendait dans l'intérieur de la
maison des voix, des rires et des bruits de vaisselle.

On dut manger dans une chambre, toutes les salles
étant pleines. Soudain Roland aperçut contre la muraille
des filets à salicoques.

—Ah! ah! cria-t-il, on pêche du bouquet ici?

—Oui, répondit Beausire, c'est même l'endroit où on
en prend le plus de toute la côte.

—Bigre! si nous y allions après déjeuner?

Il se trouvait justement que la marée était basse à trois

heures; et on décida que tout le monde passerait l'après-midi dans les rochers, à chercher des salicoques.

On mangea peu, pour éviter l'afflux de sang à la tête quand on aurait les pieds dans l'eau. On voulait d'ailleurs se réserver pour le dîner, qui fut commandé magnifique et qui devait être prêt dès six heures, quand on rentrerait.

Roland ne se tenait pas d'impatience. Il voulait acheter les engins spéciaux employés pour cette pêche, et qui ressemblent beaucoup à ceux dont on se sert pour attraper les papillons dans les prairies.

On les nomme lanets. Ce sont de petites poches en filet attachées sur un cercle de bois, au bout d'un long bâton. Alphonsine, souriant toujours, les lui prêta. Puis elle aida les deux femmes à faire une toilette improvisée pour ne point mouiller leurs robes. Elle offrit des jupes, de gros bas de laine et des espadrilles. Les hommes ôtèrent leurs chaussettes et achetèrent chez le cordonnier du lieu des savates et des sabots.

Puis on se mit en route, le lanet sur l'épaule et la hotte sur le dos. Mme Rosémilly, dans ce costume, était tout à fait gentille, d'une gentillesse imprévue, paysanne et hardie.

La jupe prêtée par Alphonsine, coquettement relevée et fermée par un point de couture afin de pouvoir courir et sauter sans peur dans les roches, montrait la cheville et le bas du mollet, un ferme mollet de petite femme souple et forte. La taille était libre pour laisser aux mouvements leur aisance; et elle avait trouvé, pour se couvrir la tête, un immense chapeau de jardinier, en paille jaune, aux bords démesurés, à qui une branche de tamaris, tenant un côté retroussé, donnait un air mousquetaire et crâne.

Jean, depuis son héritage, se demandait tous les jours s'il l'épouserait ou non. Chaque fois qu'il la revoyait, il se sentait décidé à en faire sa femme, puis, dès qu'il se trouvait seul, il songeait qu'en attendant on a le temps de réfléchir. Elle était moins riche que lui maintenant, car elle ne possédait qu'une douzaine de mille francs de revenu, mais en biens-fonds, en fermes et en terrains dans le Havre, sur les bassins; et cela, plus tard, pouvait valoir une grosse somme. La fortune était donc à peu près équivalente, et la jeune veuve assurément lui plaisait beaucoup.

En la regardant marcher devant lui ce jour-là, il pensait: «Allons, il faut que je me décide. Certes, je ne trouverai pas mieux.»

Ils suivirent un petit vallon en pente, descendant du village vers la falaise; et la falaise, au bout de ce vallon, dominait la mer de quatre-vingts mètres. Dans l'encadrement des côtes vertes, s'abaissant à droite et à gauche, un grand triangle d'eau, d'un bleu d'argent sous le soleil, apparaissait au loin, et une voile, à peine visible, avait l'air d'un insecte là-bas. Le ciel plein de lumière se mêlait tellement à l'eau qu'on ne distinguait point du tout où finissait l'un et où commençait l'autre, et les deux femmes, qui précédaient les trois hommes, dessinaient sur cet horizon clair leurs tailles serrées dans leurs corsages.

Jean, l'œil allumé, regardait fuir devant lui la cheville mince, la jambe fine, la hanche souple et le grand chapeau provocant de Mme Rosémilly. Et cette fuite activait son désir, le poussait aux résolutions décisives que prennent brusquement les hésitants et les timides. L'air tiède, où se mêlait à l'odeur des côtes, des ajoncs, des trèfles et des herbes, la senteur marine des roches découvertes, l'animait encore en le grisant doucement, et il se décidait un peu plus à chaque pas, à chaque seconde, à chaque regard jeté sur la silhouette alerte de la jeune femme; il se décidait à ne plus hésiter, à lui dire qu'il l'aimait et qu'il désirait l'épouser. La pêche lui servirait, facilitant leur tête-à-tête; et ce serait, en outre, un joli cadre, un joli endroit pour parler d'amour, les pieds dans un bassin d'eau limpide, en regardant fuir sous les varechs les longues barbes des crevettes.

Quand ils arrivèrent au bout du vallon, au bord de l'abîme, ils aperçurent un petit sentier qui descendait le long de la falaise, et sous eux, entre la mer et le pied de la montagne, à mi-côte à peu près, un surprenant chaos de rochers énormes, écroulés, renversés, entassés les uns sur les autres dans une espèce de plaine herbeuse et mouvementée qui courait à perte de vue vers le sud, formée par les éboulements anciens. Sur cette longue bande de broussailles et de gazon secouée, eût-on dit, par des sursauts de volcan, les rocs tombés semblaient les ruines d'une grande cité disparue qui regardait autrefois l'Océan, dominée elle-même par la muraille blanche et sans fin de la falaise.

—Ça, c'est beau, dit en s'arrêtant Mme Rosémilly.

Jean l'avait rejointe, et, le cœur ému, lui offrait la main pour descendre l'étroit escalier taillé dans la roche.

Ils partirent en avant, tandis que Beausire, se raidissant sur ses courtes jambes, tendait son bras replié à Mme Roland étourdie par le vide.

Roland et Pierre venaient les derniers, et le docteur dut traîner son père, tellement troublé par le vertige, qu'il se laissait glisser, de marche en marche, sur son derrière.

Les jeunes gens, qui dévalaient en tête, allaient vite, et soudain ils aperçurent à côté d'un banc de bois qui marquait un repos vers le milieu de la valleuse, un filet d'eau claire jaillissant d'un petit trou de la falaise. Il se répandait d'abord en un bassin grand comme une cuvette qu'il s'était creusé lui-même, puis tombant en cascade haute de deux pieds à peine, il s'enfuyait à travers le sentier, où avait poussé un tapis de cresson, puis disparaissait dans les ronces et les herbes, à travers la plaine soulevée où s'entassaient les éboulements.

—Oh! que j'ai soif, s'écria Mme Rosémilly.

Mais comment boire? Elle essayait de recueillir dans le fond de sa main l'eau qui lui fuyait à travers les doigts. Jean eut une idée, mit une pierre dans le chemin, et elle s'agenouilla dessus afin de puiser à la source même avec ses lèvres qui se trouvaient ainsi à la même hauteur.

Quand elle releva sa tête, couverte de gouttelettes brillantes semées par milliers sur la peau, sur les cheveux, sur les cils, sur le corsage, Jean penché vers elle murmura:

—Comme vous êtes jolie!

Elle répondit, sur le ton qu'on prend pour gronder un enfant:

—Voulez-vous bien vous taire?

C'étaient les premières paroles un peu galantes qu'ils échangeaient.

—Allons, dit Jean fort troublé, sauvons-nous avant qu'on nous rejoigne.

Il apercevait, en effet, tout près d'eux maintenant, le dos du capitaine Beausire qui descendait à reculons afin de soutenir par les deux mains Mme Roland, et, plus haut, plus loin, Roland se laissait toujours glisser, calé sur son fond de culotte en se traînant sur les pieds et sur les coudes avec une allure de tortue, tandis que Pierre le précédait en surveillant ses mouvements.

Le sentier moins escarpé devenait une sorte de chemin en pente contournant les blocs énormes tombés autrefois de la montagne. Mme Rosémilly et Jean se mirent à courir et furent bientôt sur le galet. Ils le traversèrent pour gagner les roches. Elles s'étendaient en une longue

et plate surface couverte d'herbes marines et où bril-
laient d'innombrables flaques d'eau. La mer basse était
là-bas, très loin, derrière cette plaine gluante de varechs,
d'un vert luisant et noir.

Jean releva son pantalon jusqu'au-dessus du mollet et
ses manches jusqu'au coude, afin de se mouiller sans
crainte, puis il dit: «En avant!» et sauta avec résolution
dans la première mare rencontrée.

Plus prudente, bien que décidée aussi à entrer dans
l'eau tout à l'heure, la jeune femme tournait autour de
l'étroit bassin, à pas craintifs, car elle glissait sur les
plantes visqueuses.

—Voyez-vous quelque chose? disait-elle.

—Oui, je vois votre visage qui se reflète dans l'eau.

—Si vous ne voyez que cela, vous n'aurez pas une
fameuse pêche.

Il murmura d'une voix tendre:

—Oh! de toutes les pêches c'est encore celle que je
préférerais faire.

Elle riait:

—Essayez donc, vous allez voir comme il passera à
travers votre filet.

—Pourtant. . . si vous vouliez?

Je veux vous voir prendre des salicoques. . . et rien
de plus. . . pour le moment.

—Vous êtes méchante. Allons plus loin, il n'y a rien
ici.

Et il lui offrit la main pour marcher sur les rochers
gras. Elle s'appuyait un peu craintive, et lui, tout à
coup, se sentait envahi par l'amour, soulevé de désirs,
affamé d'elle, comme si le mal qui germait en lui avait
attendu ce jour-là pour éclore.

Ils arrivèrent bientôt auprès d'une crevasse plus profonde, où flottaient sous l'eau frémissante et coulant vers

la mer lointaine par une fissure invisible, des herbes longues, fines, bizarrement colorées, des chevelures roses et vertes, qui semblaient nager.

Mme Rosémilly s'écria:

—Tenez, tenez, j'en vois une, une grosse, une très grosse là-bas.

Il l'aperçut à son tour, et descendit dans le trou résolument, bien qu'il se mouillât jusqu'à la ceinture.

Mais la bête remuant ses longues moustaches reculait doucement devant le filet. Jean la poussait vers les varechs, sûr de l'y prendre. Quand elle se sentit bloquée, elle glissa d'un brusque élan par-dessus le lanet, traversa la mare et disparut.

La jeune femme qui regardait, toute palpitante, cette chasse, ne put retenir ce cri:

—Oh! maladroit.

Il fut vexé, et d'un mouvement irréfléchi traîna son filet dans un fond plein d'herbes. En le ramenant à la surface de l'eau, il vit dedans trois grosses salicoques transparentes, cueillies à l'aveuglette dans leur cachette invisible.

Il les présenta, triomphant, à Mme Rosémilly qui n'osait point les prendre, par peur de la pointe aiguë et dentelée dont leur tête fine est armée.

Elle s'y décida pourtant, et pinçant entre deux doigts le bout effilé de leur barbe, elle les mit, l'une après l'autre, dans sa hotte, avec un peu de varech qui les conserverait vivantes. Puis ayant trouvé une flaque d'eau moins creuse, elle y entra, à pas hésitants, un peu suffoquée par le froid qui lui saisissait les pieds, et elle se mit à pêcher elle-même. Elle était adroite et rusée, ayant la main souple et le flair de chasseur qu'il fallait. Presque à chaque coup, elle ramenait des bêtes trompées et surprises par la lenteur ingénieuse de sa poursuite.

Jean maintenant ne trouvait rien, mais il la suivait

pas à pas, la frôlait, se penchait sur elle, simulait un
grand désespoir de sa maladresse, voulait apprendre.

—Oh! montrez-moi, disait-il, montrez-moi!

Puis, comme leurs deux visages se reflétaient, l'un
contre l'autre, dans l'eau si claire dont les plantes noires
du fond faisaient une glace limpide, Jean souriait à cette
tête voisine qui le regardait d'en bas, et parfois, du bout
des doigts, lui jetait un baiser qui semblait tomber dessus.

—Ah! que vous êtes ennuyeux, disait la jeune femme;
mon cher, il ne faut jamais faire deux choses à la fois.

Il répondit:

—Je n'en fais qu'une. Je vous aime.

Elle se redressa, et d'un ton sérieux:

—Voyons, qu'est-ce qui vous prend depuis dix minutes, avez-vous perdu la tête?

—Non, je n'ai pas perdu la tête. Je vous aime, et
j'ose, enfin, vous le dire.

Ils étaient debout maintenant dans la mare salée qui
les mouillait jusqu'aux mollets, et les mains ruisselantes
appuyées sur leurs filets, ils se regardaient au fond des
yeux.

Elle reprit, d'un ton plaisant et contrarié:

—Que vous êtes malavisé de me parler de ça en ce
moment. Ne pouviez-vous attendre un autre jour et ne
pas me gâter ma pêche?

Il murmura:

—Pardon, mais je ne pouvais plus me taire. Je vous
aime depuis longtemps. Aujourd'hui vous m'avez grisé
à me faire perdre la raison.

Alors, tout à coup, elle sembla en prendre son parti,
se résigner à parler d'affaires et à renoncer aux plaisirs.

—Asseyons-nous sur ce rocher, dit-elle, nous pourrons
causer tranquillement.

Ils grimpèrent sur le roc un peu haut, et lorsqu'ils y

furent installés côte à côte, les pieds pendants, en plein soleil, elle reprit:

—Mon cher ami, vous n'êtes plus un enfant et je ne suis pas une jeune fille. Nous savons fort bien l'un et l'autre de quoi il s'agit, et nous pouvons peser toutes les conséquences de nos actes. Si vous vous décidez aujourd'hui à me déclarer votre amour, je suppose naturellement que vous désirez m'épouser.

Il ne s'attendait guère à cet exposé net de la situation, et il répondit niaisement:

—Mais oui.

—En avez-vous parlé à votre père et à votre mère?

—Non, je voulais savoir si vous m'accepteriez.

Elle lui tendit sa main encore mouillée, et comme il y mettait la sienne avec élan:

—Moi, je veux bien, dit-elle. Je vous crois bon et loyal. Mais n'oubliez point que je ne voudrais pas déplaire à vos parents.

—Oh! pensez-vous que ma mère n'a rien prévu et qu'elle vous aimerait comme elle vous aime si elle ne désirait pas un mariage entre nous?

—C'est vrai, je suis un peu troublée.

Ils se turent. Et il s'étonnait, lui, au contraire, qu'elle fût si peu troublée, si raisonnable. Il s'attendait à des gentillesses galantes, à des refus qui disent oui, à toute une coquette comédie d'amour mêlée à la pêche, dans le clapotement de l'eau! Et c'était fini, il se sentait lié, marié, en vingt paroles. Ils n'avaient plus rien à se dire puisqu'ils étaient d'accord et ils demeuraient maintenant un peu embarrassés tous deux de ce qui s'était passé, si vite, entre eux, un peu confus même, n'osant plus parler, n'osant plus pêcher, ne sachant que faire.

La voix de Roland les sauva:

—Par ici, par ici, les enfants. Venez voir Beausire. Il vide la mer, ce gaillard-là.

Le capitaine, en effet, faisait une pêche merveilleuse. Mouillé jusqu'aux reins, il allait de mare en mare, reconnaissant d'un seul coup d'œil les meilleures places, et fouillant, d'un mouvement lent et sûr de son lanet, toutes les cavités cachées sous les varechs.

Et les belles salicoques transparentes, d'un blond gris, frétillaient au fond de sa main quand il les prenait d'un geste sec pour les jeter dans sa hotte.

Mme Rosémilly surprise, ravie, ne le quitta plus, l'imitant de son mieux, oubliant presque sa promesse et Jean qui suivait, rêveur, pour se donner tout entière à cette joie enfantine de ramasser des bêtes sous les herbes flottantes.

Roland s'écria tout à coup:

—Tiens, Mme Roland qui nous rejoint.

Elle était restée d'abord seule avec Pierre sur la plage, car ils n'avaient envie ni l'un ni l'autre de s'amuser à courir dans les roches et à barboter dans les flaques; et pourtant ils hésitaient à demeurer ensemble. Elle avait peur de lui, et son fils avait peur d'elle et de lui-même, peur de sa cruauté qu'il ne maîtrisait point.

Ils s'assirent donc, l'un près de l'autre, sur le galet.

Et tous deux, sous la chaleur du soleil calmée par l'air marin, devant le vaste et doux horizon d'eau bleue moirée d'argent, pensaient en même temps: «Comme il aurait fait bon ici, autrefois.»

Elle n'osait point parler à Pierre, sachant bien qu'il répondrait une dureté; et il n'osait pas parler à sa mère sachant aussi que, malgré lui, il le ferait avec violence.

Du bout de sa canne il tourmentait les galets ronds, les remuait et les battait. Elle, les yeux vagues, avait pris entre ses doigts trois ou quatre petits cailloux qu'elle faisait passer d'une main dans l'autre, d'un geste lent et machinal. Puis son regard indécis, qui errait devant elle, aperçut, au milieu des varechs, son fils Jean qui pêchait avec Mme Rosémilly. Alors elle les suivit, épiant leurs mouvements, comprenant confusément, avec son instinct de mère, qu'ils ne causaient point comme tous les jours. Elle les vit se pencher côte à côte quand ils se regardaient dans l'eau, demeurer debout face à face quand ils interrogeaient leurs cœurs, puis grimper et s'asseoir sur le rocher pour s'engager l'un envers l'autre.

Leurs silhouettes se détachaient bien nettes, semblaient seules au milieu de l'horizon, prenaient dans ce large espace de ciel, de mer, de falaises, quelque chose de grand et de symbolique.

Pierre aussi les regardait, et un rire sec sortit brusquement de ses lèvres.

Sans se tourner vers lui, Mme Roland lui dit:

—Qu'est-ce que tu as donc?

Il ricanait toujours:

—Je m'instruis. J'apprends comment on se prépare à être cocu.

Elle eut un sursaut de colère, de révolte, choquée du mot, exaspérée de ce qu'elle croyait comprendre.

—Pour qui dis-tu ça?

—Pour Jean, parbleu! C'est très comique de les voir ainsi!

Elle murmura, d'une voix basse, tremblante d'émotion:

—Oh! Pierre, que tu es cruel! Cette femme est la droiture même. Ton frère ne pourrait trouver mieux.

Il se mit à rire tout à fait, d'un rire voulu et saccadé:

—Ah! ah! ah! La droiture même! Toutes les femmes sont la droiture même. . . et tous leurs maris sont cocus. Ah! ah! ah!

Sans répondre elle se leva, descendit vivement la pente de galets, et, au risque de glisser, de tomber dans les trous cachés sous les herbes, de se casser la jambe ou le bras, elle s'en alla, courant presque, marchant à tra-

vers les mares, sans voir, tout droit devant elle, vers son
autre fils.

En la voyant approcher, Jean lui cria:

—Eh bien? maman, tu te décides?

Sans répondre elle lui saisit le bras comme pour lui
dire: «Sauve-moi, défends-moi.»

Il vit son trouble et, très surpris:

—Comme tu es pâle! Qu'est-ce que tu as?

Elle balbutia:

—J'ai failli tomber, j'ai eu peur sur ces roches.

Alors Jean la guida, la soutint, lui expliquant la pêche
pour qu'elle y prît intérêt. Mais comme elle ne l'écoutait guère, et comme il éprouvait un besoin violent de se
confier à quelqu'un, il l'entraîna plus loin et, à voix basse:

—Devine ce que j'ai fait?

—Mais. . . mais. . . je ne sais pas.

—Devine.

—Je ne. . . je ne sais pas.

—Eh bien, j'ai dit à Mme Rosémilly que je désirais
l'épouser.

Elle ne répondit rien, ayant la tête bourdonnante, l'esprit en détresse au point de ne plus comprendre qu'à
peine. Elle répéta:

—L'épouser?

—Oui, ai-je bien fait? Elle est charmante, n'est-ce
pas?

—Oui. . . charmante. . . tu as bien fait.

—Alors tu m'approuves?

—Oui. . . je t'approuve.

—Comme tu dis ça drôlement. On croirait que. . .
que. . . tu n'es pas contente.

—Mais oui. . . je suis. . . contente.

—Bien vrai?

—Bien vrai.

Et pour le lui prouver, elle le saisit à pleins bras et l'embrassa à plein visage, par grands baisers de mère.

Puis, quand elle se fut essuyé les yeux, où des larmes étaient venues, elle aperçut là-bas sur la plage un corps étendu sur le ventre, comme un cadavre, la figure dans le galet: c'était l'autre, Pierre, qui songeait, désespéré.

Alors elle emmena son petit Jean plus loin encore, tout près du flot, et ils parlèrent longtemps de ce mariage où se rattachait son cœur.

La mer montant les chassa vers les pêcheurs qu'ils rejoignirent, puis tout le monde regagna la côte. On réveilla Pierre qui feignait de dormir; et le dîner fut très long, arrosé de beaucoup de vins.

VII

Dans le break, en revenant, tous les hommes, hormis Jean, sommeillèrent. Beausire et Roland s'abattaient, toutes les cinq minutes, sur une épaule voisine qui les repoussait d'une secousse. Ils se redressaient alors, cessaient de ronfler, ouvraient les yeux, murmuraient: «Bien beau temps,» et retombaient, presque aussitôt, de l'autre côté.

Lorsqu'on entra dans le Havre, leur engourdissement était si profond qu'ils eurent beaucoup de peine à le secouer, et Beausire refusa même de monter chez Jean où le thé les attendait. On dut le déposer devant sa porte.

Le jeune avocat, pour la première fois, allait coucher dans son logis nouveau; et une grande joie, un peu puérile, l'avait saisi tout à coup de montrer, justement ce soir-là, à sa fiancée l'appartement qu'elle habiterait bientôt.

La bonne était partie, Mme Roland ayant déclaré qu'elle ferait chauffer l'eau et servirait elle-même, car elle n'aimait pas laisser veiller les domestiques, par crainte du feu.

Personne, autre qu'elle, son fils et les ouvriers, n'était encore entré, afin que la surprise fût complète quand on verrait combien c'était joli.

Dans le vestibule, Jean pria qu'on attendît. Il voulait allumer les bougies et les lampes, et il laissa dans l'obscurité Mme Rosémilly, son père et son frère, puis il cria: «Arrivez!» en ouvrant toute grande la porte à deux battants.

La galerie vitrée, éclairée par un lustre et des verres

Kaoutchou

de couleur cachés dans les palmiers, les caoutchoucs et
les fleurs, apparaissait d'abord pareille à un décor de
théâtre. Il y eut une seconde d'étonnement. Roland,
émerveillé de ce luxe, murmura: «Nom d'un chien,» saisi
par l'envie de battre des mains comme devant les apo-
théoses.

Puis on pénétra dans le premier salon, petit, tendu
avec une étoffe vieil or, pareille à celle des sièges. Le
grand salon de consultation très simple, d'un rouge sau-
mon pâle, avait grand air.

Jean s'assit dans le fauteuil devant son bureau chargé
de livres, et d'une voix grave, un peu forcée:

—Oui, Madame, les textes de loi sont formels et me
donnent, avec l'assentiment que je vous avais annoncé,
l'absolue certitude qu'avant trois mois l'affaire dont nous
nous sommes entretenus recevra une heureuse solution.

Il regardait Mme Rosémilly qui se mit à sourire en
regardant Mme Roland; et Mme Roland, lui prenant la
main, la serra.

Jean, radieux, fit une gambade de collégien et s'écria:

—Hein, comme la voix porte bien. Il serait excellent
pour plaider, ce salon.

Il se mit à déclamer:

—Si l'humanité seule, si ce sentiment de bienveillance
naturelle que nous éprouvons pour toute souffrance devait être le mobile de l'acquittement que nous sollicitons
de vous, nous ferions appel à votre pitié, messieurs les
jurés, à votre cœur de père et d'homme; mais nous avons
pour nous le droit, et c'est la seule question du droit que
nous allons soulever devant vous. . .

Pierre regardait ce logis qui aurait pu être le sien, et
il s'irritait des gamineries de son frère, le jugeant, décidément, trop niais et pauvre d'esprit.

Mme Roland ouvrit une porte à droite.

—Voici la chambre à coucher, dit-elle.

Elle avait mis à la parer tout son amour de mère. La tenture était en cretonne de Rouen qui imitait la vieille toile normande. Un dessin Louis XV—une bergère dans un médaillon que fermaient les becs unis de deux colombes—donnait aux murs, aux rideaux, au lit, aux fauteuils un air galant et champêtre tout à fait gentil.

—Oh! c'est charmant, dit Mme Rosémilly, devenue un peu sérieuse, en entrant dans cette pièce.

—Cela vous plaît? demanda Jean.

—Énormément.

—Si vous saviez comme ça me fait plaisir!

Ils se regardèrent une seconde, avec beaucoup de tendresse confiante au fond des yeux.

Elle était gênée un peu cependant, un peu confuse dans cette chambre à coucher qui serait sa chambre nuptiale. Elle avait remarqué, en entrant, que la couche était très large, une vraie couche de ménage, choisie par Mme Roland qui avait prévu sans doute et désiré le prochain mariage de son fils; et cette précaution de mère lui faisait plaisir cependant, semblait lui dire qu'on l'attendait dans la famille.

Puis quand on fut rentré dans le salon, Jean ouvrit brusquement la porte de gauche et on aperçut la salle à manger ronde, percée de trois fenêtres, et décorée en lanterne japonaise. La mère et le fils avaient mis là toute la fantaisie dont ils étaient capables. Cette pièce à meubles de bambou, à magots, à potiches, à soieries pailletées d'or, à stores transparents où des perles de verre semblaient des gouttes d'eau, à éventails cloués aux murs pour maintenir les étoffes, avec ses écrans, ses sabres, ses masques, ses grues faites en plumes véritables, tous ses menus bibelots de porcelaine, de bois, de papier, d'ivoire, de nacre, et de bronze, avait l'aspect prétentieux et maniéré que donnent les mains inhabiles et les yeux ignorants aux choses qui exigent le plus de tact, de goût et d'éducation artiste. Ce fut celle cependant qu'on admira le plus. Pierre seul fit des réserves avec une ironie un peu amère dont son frère se sentit blessé.

Sur la table, les fruits se dressaient en pyramides, et les gâteaux s'élevaient en monuments.

On n'avait guère faim; on suça les fruits et on grignota les pâtisseries plutôt qu'on ne les mangea. Puis, au bout d'une heure, Mme Rosémilly demanda la permission de se retirer.

Il fut décidé que le père Roland l'accompagnerait à sa porte et partirait immédiatement avec elle, tandis que Mme Roland, en l'absence de la bonne, jetterait son coup d'œil de mère sur le logis afin que son fils ne manquât de rien.

—Faut-il revenir te chercher? demanda Roland.

Elle hésita, puis répondit:

—Non, mon gros, couche-toi. Pierre me ramènera.

Dès qu'ils furent partis, elle souffla les bougies, serra les gâteaux, le sucre et les liqueurs dans un meuble dont la clef fut remise à Jean; puis elle passa dans la chambre à coucher, entr'ouvrit le lit, regarda si la carafe était remplie d'eau fraîche et la fenêtre bien fermée.

Pierre et Jean étaient demeurés dans le petit salon, celui-ci encore froissé de la critique faite sur son goût, et celui-là de plus en plus agacé de voir son frère dans ce logis.

Ils fumaient assis tous les deux, sans se parler. Pierre tout à coup se leva:

—Cristi! dit-il, la veuve avait l'air bien vanné ce soir, les excursions ne lui réussissent pas.

Jean se sentit soulevé soudain par une de ces promptes et furieuses colères de débonnaires blessés au cœur.

Le souffle lui manquait tant son émotion était vive, et il balbutia:

—Je te défends désormais de dire «la veuve» quand tu parleras de Mme Rosémilly.

Pierre se tourna vers lui, hautain:

—Je crois que tu me donnes des ordres. Deviens-tu fou, par hasard?

Jean aussitôt s'était dressé:

—Je ne deviens pas fou, mais j'en ai assez de tes manières envers moi.

Pierre ricana:

—Envers toi? Est-ce que tu fais partie de Mme Rosémilly?

—Sache que Mme Rosémilly va devenir ma femme.

L'autre rit plus fort:

—Ah! ah! très bien. Je comprends maintenant pourquoi je ne devrai plus l'appeler «la veuve». Mais tu as pris une drôle de manière pour m'annoncer ton mariage.

—Je te défends de plaisanter... tu entends... je te le défends.

Jean s'était approché, pâle, la voix tremblante, exaspéré de cette ironie poursuivant la femme qu'il aimait et qu'il avait choisie.

Mais Pierre soudain devint aussi furieux. Tout ce qui s'amassait en lui de colères impuissantes, de rancunes écrasées, de révoltes domptées depuis quelque temps et de désespoir silencieux, lui montant à la tête, l'étourdit comme un coup de sang.

—Tu oses?... Tu oses?... Et moi je t'ordonne de te taire, tu entends, je te l'ordonne.

Jean, surpris de cette violence, se tut quelques secondes, cherchant, dans ce trouble d'esprit où nous jette la fureur, la chose, la phrase, le mot, qui pourrait blesser son frère jusqu'au cœur.

Il reprit, en s'efforçant de se maîtriser pour bien frapper, de ralentir sa parole pour la rendre plus aiguë:

—Voilà longtemps que je te sais jaloux de moi, depuis

le jour où tu as commencé à dire «la veuve» parce que tu as compris que cela me faisait mal.

Pierre poussa un de ces rires stridents et méprisants qui lui étaient familiers:

—Ah! ah! mon Dieu! Jaloux de toi!... moi?... moi?... moi?... et de quoi?... de quoi, mon Dieu?... de ta figure ou de ton esprit?...

Mais Jean sentit bien qu'il avait touché la plaie de cette âme.

—Oui, tu es jaloux de moi, et jaloux depuis l'enfance; et tu es devenu furieux quand tu as vu que cette femme me préférait et qu'elle ne voulait pas de toi.

Pierre bégayait, exaspéré de cette supposition:

—Moi... moi... jaloux de toi? à cause de cette cruche, de cette dinde, de cette oie grasse?...

Jean qui voyait porter ses coups reprit:

—Et le jour où tu as essayé de ramer plus fort que moi, dans la *Perle?* Et tout ce que tu dis devant elle pour te faire valoir? Mais tu crèves de jalousie! Et quand cette fortune m'est arrivée, tu es devenu enragé, et tu m'as détesté, et tu l'as montré de toutes les manières, et tu as fait souffrir tout le monde, et tu n'es pas une heure sans cracher la bile qui t'étouffe.

Pierre ferma ses poings de fureur avec une envie irrésistible de sauter sur son frère et de le prendre à la gorge.

—Ah! tais-toi, cette fois, ne parle point de cette fortune.

Jean s'écria:

—Mais la jalousie te suinte de la peau. Tu ne dis pas un mot à mon père, à ma mère ou à moi, où elle n'éclate. Tu feins de me mépriser parce que tu es jaloux! tu cherches querelle à tout le monde parce que tu es jaloux. Et maintenant que je suis riche, tu ne te contiens plus, tu es devenu venimeux, tu tortures notre mère comme si c'était sa faute!...

Pierre avait reculé jusqu'à la cheminée, la bouche entr'ouverte, l'œil dilaté, en proie à une de ces folies de rage qui font commettre des crimes.

Il répéta d'une voix plus basse, mais haletante:

—Tais-toi, tais-toi donc!

—Non. Voilà longtemps que je voulais te dire ma pensée entière; tu m'en donnes l'occasion, tant pis pour toi. J'aime une femme! Tu le sais et tu la railles devant moi, tu me pousses à bout; tant pis pour toi. Mais je casserai tes dents de vipère, moi! Je te forcerai à me respecter.

—Te respecter, toi?

—Oui, moi!

—Te respecter... toi... qui nous as tous déshonorés, par ta cupidité!

—Tu dis? Répète... répète?...

—Je dis qu'on n'accepte pas la fortune d'un homme quand on passe pour le fils d'un autre.

Jean demeurait immobile, ne comprenant pas, effaré devant l'insinuation qu'il pressentait:

—Comment? Tu dis... répète encore?

—Je dis ce que tout le monde chuchote, ce que tout le monde colporte, que tu es le fils de l'homme qui t'a laissé sa fortune. Eh bien! un garçon propre n'accepte pas l'argent qui déshonore sa mère.

—Pierre... Pierre... Pierre... y songes-tu?... Toi... c'est toi... toi... qui prononces cette infamie?

—Oui... moi... c'est moi. Tu ne vois donc point que j'en crève de chagrin depuis un mois, que je passe mes nuits sans dormir et mes jours à me cacher comme une bête, que je ne sais plus ce que je dis ni ce que je fais, ni ce que je deviendrai tant je souffre, tant je suis affolé de honte et de douleur, car j'ai deviné d'abord et je sais maintenant.

—Pierre. . . Tais-toi. . . Maman est dans la chambre à côté ! Songe qu'elle peut nous entendre. . . qu'elle nous entend. . .

Mais il fallait qu'il vidât son cœur ! et il dit tout, ses soupçons, ses raisonnements, ses luttes, sa certitude, et l'histoire du portrait encore une fois disparu.

Il parlait par phrases courtes, hachées, presque sans suite, des phrases d'halluciné.

Il semblait maintenant avoir oublié Jean et sa mère dans la pièce voisine. Il parlait comme si personne ne l'écoutait, parce qu'il devait parler, parce qu'il avait trop souffert, trop comprimé et refermé sa plaie. Elle avait grossi comme une tumeur, et cette tumeur venait de crever, éclaboussant tout le monde. Il s'était mis à marcher comme il faisait presque toujours ; et les yeux fixes devant lui, gesticulant, dans une frénésie de désespoir, avec des sanglots dans la gorge, des retours de haine contre lui-même, il parlait comme s'il eût confessé sa misère et la misère des siens, comme s'il eût jeté sa peine à l'air invisible et sourd où s'envolaient ses paroles.

Jean éperdu, et presque convaincu soudain par l'énergie aveugle de son frère, s'était adossé contre la porte derrière laquelle il devinait que leur mère les avait entendus.

Elle ne pouvait point sortir ; il fallait passer par le salon. Elle n'était point revenue ; donc elle n'avait pas osé.

Pierre tout à coup, frappant du pied, cria :

—Tiens, je suis un cochon d'avoir dit ça !

Et il s'enfuit, nu-tête, dans l'escalier.

Le bruit de la grande porte de la rue, retombant avec fracas, réveilla Jean de la torpeur profonde où il était

tombé. Quelques secondes s'étaient écoulées, plus longues
que des heures, et son âme s'était engourdie dans un
hébétement d'idiot. Il sentait bien qu'il lui faudrait penser tout à l'heure, et agir, mais il attendait, ne voulant
même plus comprendre, savoir, se rappeler, par peur,
par faiblesse, par lâcheté. Il était de la race des tem-
poriseurs qui remettent toujours au lendemain; et quand
il lui fallait, sur-le-champ, prendre une résolution, il
cherchait encore, par instinct, à gagner quelques moments.

Mais le silence profond qui l'entourait maintenant,
après les vociférations de Pierre, ce silence subit des
murs, des meubles, avec cette lumière vive des six bougies
et des deux lampes, l'effraya si fort tout à coup qu'il eut
envie de se sauver aussi.

Alors il secoua sa pensée, il secoua son cœur, et il
essaya de réfléchir.

Jamais il n'avait rencontré une difficulté dans sa vie.
Il est des hommes qui se laissent aller comme l'eau qui
coule. Il avait fait ses classes avec soin, pour n'être pas
puni, et terminé ses études de droit avec régularité parce
que son existence était calme. Toutes les choses du
monde lui paraissaient naturelles sans éveiller autrement
son attention. Il aimait l'ordre, la sagesse, le repos par
tempérament, n'ayant point de replis dans l'esprit; et il
demeurait, devant cette catastrophe, comme un homme
qui tombe à l'eau sans avoir jamais nagé.

Il essaya de douter d'abord. Son frère avait menti
par haine et par jalousie?

Et, pourtant, comment aurait-il été assez misérable
pour dire de leur mère une chose pareille s'il n'avait pas
été lui-même égaré par le désespoir? Et puis Jean gar-
dait dans l'oreille, dans le regard, dans les nerfs, jusque
dans le fond de la chair, certaines paroles, certains cris

de souffrance, des intonations et des gestes de Pierre, si douloureux qu'ils étaient irrésistibles, aussi irrécusables que la certitude. *inexceptionable*

Il demeurait trop écrasé pour faire un mouvement ou pour avoir une volonté. Sa détresse devenait intolérable; et il sentait que, derrière la porte, sa mère était là qui avait tout entendu et qui attendait.

Que faisait-elle? Pas un mouvement, pas un frisson, pas un souffle, pas un soupir ne révélait la présence d'un être derrière cette planche. Se serait-elle sauvée? Mais par où? Si elle s'était sauvée... elle avait donc sauté de la fenêtre dans la rue!

Un sursaut de frayeur le souleva, si prompt et si dominateur qu'il enfonça plutôt qu'il n'ouvrit la porte et se jeta dans sa chambre.

Elle semblait vide. Une seule bougie l'éclairait, posée sur la commode.

Jean s'élança vers la fenêtre, elle était fermée, avec les volets clos. Il se retourna, fouillant les coins noirs de son regard anxieux, et il s'aperçut que les rideaux du lit avaient été tirés. Il y courut et les ouvrit. Sa mère était étendue sur sa couche, la figure enfouie dans l'oreiller, qu'elle avait ramené de ses deux mains crispées sur sa tête, pour ne plus entendre.

Il la crut d'abord étouffée. Puis l'ayant saisie par les épaules, il la retourna sans qu'elle lâchât l'oreiller qui lui cachait le visage et qu'elle mordait pour ne pas crier.

Mais le contact de ce corps raidi, de ces bras crispés, lui communiqua la secousse de son *unspeakable* indicible torture. L'énergie et la force dont elle retenait avec ses doigts et avec ses dents la toile gonflée de plumes sur sa bouche, sur ses yeux et sur ses oreilles pour qu'il ne la vît point et ne lui parlât pas, lui fit deviner, par la commotion qu'il reçut, jusqu'à quel point on peut souffrir. Et son cœur, son simple cœur, fut déchiré de pitié. Il n'était pas un juge, lui, même un juge miséricordieux, il était un homme plein de faiblesse et un fils plein de tendresse. Il ne se rappela rien de ce que l'autre lui avait dit, il ne raisonna pas et ne discuta point, il toucha seulement de ses deux mains le corps inerte de sa mère, et ne pouvant arracher l'oreiller de sa figure, il cria en baisant sa robe:

—Maman, maman, ma pauvre maman, regarde-moi!

Elle aurait semblé morte si tous ses membres n'eussent été parcourus d'un frémissement presque insensible, d'une vibration de corde tendue. Il répétait:

—Maman, maman, écoute-moi. Ça n'est pas vrai. Je sais bien que ça n'est pas vrai.

Elle eut un spasme, une suffocation, puis tout à coup elle sanglota dans l'oreiller. Alors tous ses nerfs se détendirent, ses muscles raidis s'amollirent, ses doigts s'entr'ouvrant lâchèrent la toile; et il lui découvrit la face.

Elle était toute pâle, toute blanche, et de ses paupières fermées on voyait couler des gouttes d'eau. L'ayant enlacée par le cou, il lui baisa les yeux, lentement, par grands baisers désolés qui se mouillaient à ses larmes, et il disait toujours:

—Maman, ma chère maman, je sais bien que ça n'est pas vrai. Ne pleure pas, je le sais! Ça n'est pas vrai!

Elle se souleva, s'assit, le regarda, et avec un de ces efforts de courage qu'il faut, en certains cas, pour se tuer, elle lui dit:

—Non, c'est vrai, mon enfant.

Et ils restèrent sans paroles, l'un devant l'autre. Pendant quelques instants encore elle suffoqua, tendant la gorge, en renversant la tête pour respirer, puis elle se vainquit de nouveau et reprit:

—C'est vrai, mon enfant. Pourquoi mentir? C'est vrai. Tu ne me croirais pas, si je mentais.

Elle avait l'air d'une folle. Saisi de terreur, il tomba à genoux près du lit en murmurant:

—Tais-toi, maman, tais-toi.

Elle s'était levée, avec une résolution et une énergie effrayantes:

—Mais je n'ai plus rien à te dire, mon enfant, adieu.

Et elle marcha vers la porte.

Il la saisit à pleins bras, criant:

—Qu'est-ce que tu fais, maman, où vas-tu?

—Je ne sais pas... est-ce que je sais... je n'ai plus rien à faire... puisque je suis toute seule.

Elle se débattait pour s'échapper. La retenant, il ne trouvait qu'un mot à lui répéter:

—Maman... maman... maman...

Et elle disait dans ses efforts pour rompre cette étreinte:

—Mais non, mais non, je ne suis plus ta mère mainte-nant, je ne suis plus rien pour toi, pour personne, plus rien, plus rien! Tu n'as plus ni père ni mère, mon pauvre enfant... adieu.

Il comprit brusquement que s'il la laissait partir il ne la reverrait jamais, et, l'enlevant, il la porta sur un fauteuil, l'assit de force, puis s'agenouillant et formant une chaîne de ses bras:

—Tu ne sortiras point d'ici, maman; moi je t'aime, et je te garde. Je te garde toujours, tu es à moi.

Elle murmura d'une voix accablée:

—Non, mon pauvre garçon, ça n'est plus possible. Ce soir tu pleures, et demain tu me jetterais dehors. Tu ne me pardonnerais pas non plus.

Il répondit avec un si grand élan de si sincère amour:
—Oh! moi? moi? Comme tu me connais peu!—qu'elle poussa un cri, lui prit la tête par les cheveux, à pleines mains, l'attira avec violence et le baisa éperdument à travers la figure.

Puis elle demeura immobile, la joue contre la joue de
son fils, sentant à travers sa barbe, la chaleur de sa
chair; et elle lui dit, tout bas, dans l'oreille:

—Non, mon petit Jean. Tu ne me pardonnerais pas
demain. Tu le crois et tu te trompes. Tu m'as pardonné
ce soir, et ce pardon-là m'a sauvé la vie; mais il ne faut
plus que tu me voies.

Il répéta, en l'étreignant:

—Maman, ne dis pas ça!

—Si, mon petit, il faut que je m'en aille. Je ne sais
pas où, ni comment je m'y prendrai, ni ce que je dirai,
mais il le faut. Je n'oserais plus te regarder, ni t'embrasser, comprends-tu?

Alors, à son tour, il lui dit, tout bas, dans l'oreille:

—Ma petite mère, tu resteras, parce que je le veux,
parce que j'ai besoin de toi. Et tu vas me jurer de
m'obéir, tout de suite.

—Non, mon enfant.

—Oh! maman, il le faut, tu entends. Il le faut.

—Non, mon enfant, c'est impossible. Ce serait nous
condamner tous à l'enfer. Je sais ce que c'est, moi, que
ce supplice-là, depuis un mois. Tu es attendri, mais
quand ce sera passé, quand tu me regarderas comme me
regarde Pierre, quand tu te rappelleras ce que je t'ai
dit!... Oh!... mon petit Jean, songe... songe que je
suis ta mère!...

—Je ne veux pas que tu me quittes, maman. Je n'ai
que toi.

—Mais pense, mon fils, que nous ne pourrons plus
nous voir sans rougir tous les deux, sans que je me sente
mourir de honte et sans que tes yeux fassent baisser les
miens.

—Ça n'est pas vrai, maman.

—Oui, oui, oui, c'est vrai! Oh! j'ai compris, va, toutes
les luttes de ton pauvre frère, toutes, depuis le premier

jour. Maintenant, lorsque je devine son pas dans la maison, mon cœur saute à briser ma poitrine, lorsque j'entends sa voix, je sens que je vais m'évanouir. Je t'avais encore, toi! Maintenant, je ne t'ai plus. Oh! mon petit Jean, crois-tu que je pourrais vivre entre vous deux?

—Oui, maman. Je t'aimerai tant que tu n'y penseras plus.

—Oh! oh! comme si c'était possible!

—Oui, c'est possible.

—Comment veux-tu que je n'y pense plus entre ton frère et toi? Est-ce que vous n'y penserez plus, vous?

—Moi. Je te le jure!

—Mais tu y penseras à toutes les heures du jour.

—Non, je te le jure. Et puis, écoute: si tu pars, je m'engage et je me fais tuer.

Elle fut bouleversée par cette menace puérile et étreignit Jean en le caressant avec une tendresse passionnée. Il reprit:

—Je t'aime plus que tu ne crois, va, bien plus, bien plus. Voyons, sois raisonnable. Essaye de rester seulement huit jours. Veux-tu me promettre huit jours? Tu ne peux pas me refuser ça?

Elle posa ses deux mains sur les épaules de Jean, et le tenant à la longueur de ses bras:

—Mon enfant. . . tâchons d'être calmes et de ne pas nous attendrir. Laisse-moi te parler d'abord. Si je devais une seule fois entendre sur tes lèvres ce que j'entends depuis un mois dans la bouche de ton frère, si je devais une seule fois voir dans tes yeux ce que je lis dans les siens, si je devais deviner rien que par un mot ou par un regard que je te suis odieuse comme à lui. . . une heure après, tu entends, une heure après. . . je serais partie pour toujours.

—Maman, je te jure. . .

—Laisse-moi parler. . . Depuis un mois j'ai souffert
tout ce qu'une créature peut souffrir. A partir du moment où j'ai compris que ton frère, que mon autre fils me
soupçonnait, et qu'il devinait, minute par minute, la vérité, tous les instants de ma vie ont été un martyre qu'il
est impossible de t'exprimer.

Elle avait une voix si douloureuse que la contagion de
sa torture emplit de larmes les yeux de Jean.

Il voulut l'embrasser, mais elle le repoussa.

—Laisse-moi. . . écoute. . . j'ai encore tant de choses à
te dire pour que tu comprennes. . . mais tu ne com-
prendras pas. . . c'est que. . . si je devais rester. . . il
faudrait. . . Non, je ne peux pas ! . . .

—Dis, maman, dis.

—Eh bien ! oui. Au moins je ne t'aurai pas trompé. . .
Tu veux que je reste avec toi, n'est-ce pas ? Pour cela,
pour que nous puissions nous voir encore, nous parler,
nous rencontrer toute la journée dans la maison, car je
n'ose plus ouvrir une porte dans la peur de trouver ton
frère derrière elle, pour cela il faut, non pas que tu me
pardonnes,—rien ne fait plus de mal qu'un pardon,—
mais que tu ne m'en veuilles pas de ce que j'ai fait. . . Il
faut que tu te sentes assez fort, assez différent de tout
le monde pour te dire que tu n'es pas le fils de Roland,
sans rougir de cela et sans me mépriser ! . . . Moi j'ai
assez souffert. . . j'ai trop souffert, je ne peux plus, non,
je ne peux plus ! Et ce n'est pas d'hier, va, c'est de
longtemps. . . Mais tu ne pourras jamais comprendre ça,
toi ! Pour que nous puissions encore vivre ensemble, et
nous embrasser, mon petit Jean, dis-toi bien que si j'ai
été la maîtresse de ton père, j'ai été encore plus sa
femme, sa vraie femme, que je n'en ai pas honte au fond
du cœur, que je ne regrette rien, que je l'aime encore
tout mort qu'il est, que je l'aimerai toujours, que je n'ai
aimé que lui, qu'il a été toute ma vie, toute ma joie, tout

mon espoir, toute ma consolation, tout, tout, tout pour
moi, pendant si longtemps! Écoute, mon petit, devant
Dieu qui m'entend, je n'aurais jamais rien eu de bon
dans l'existence, si je ne l'avais pas rencontré, jamais
rien, pas une tendresse, pas une douceur, pas une de ces
heures qui nous font tant regretter de vieillir, rien! Je
lui dois tout! Je n'ai eu que lui au monde, et puis vous
deux, ton frère et toi. Sans vous ce serait vide, noir et
vide comme la nuit. Je n'aurais jamais aimé rien, rien
connu, rien désiré, je n'aurais pas seulement pleuré, car
j'ai pleuré, mon petit Jean. Oh! oui, j'ai pleuré, depuis
que nous sommes venus ici. Je m'étais donnée à lui tout
entière, corps et âme, pour toujours, avec bonheur, et
pendant plus de dix ans j'ai été sa femme comme il a été
mon mari devant Dieu qui nous avait faits l'un pour
l'autre. Et puis, j'ai compris qu'il m'aimait moins. Il
était toujours bon et prévenant, mais je n'étais plus pour
lui ce que j'avais été. C'était fini! Oh! que j'ai
pleuré! . . . Comme c'est misérable et trompeur, la
vie! . . . Il n'y a rien qui dure. . . Et nous sommes arrivés
ici; et jamais je ne l'ai plus revu, jamais il n'est venu. . .
Il promettait toujours dans toutes ses lettres! . . . Je
l'attendais toujours! . . . et je ne l'ai plus revu! . . . et
voilà qu'il est mort! Mais il nous aimait encore puisqu'il
a pensé à toi. Moi je l'aimerai jusqu'à mon dernier soupir, et je ne le renierai jamais, et je t'aime parce que tu
es son enfant, et je ne pourrais pas avoir honte de lui
devant toi! Comprends-tu? je ne pourrais pas! Si tu
veux que je reste, il faut que tu acceptes d'être son fils
et que nous parlions de lui quelquefois, et que tu l'aimes
un peu, et que nous pensions à lui quand nous nous regar-
derons. Si tu ne veux pas, si tu ne peux pas, adieu, mon
petit, il est impossible que nous restions ensemble maintenant! je ferai ce que tu décideras.

Jean répondit d'une voix douce:

—Reste, maman.

Elle le serra dans ses bras et se remit à pleurer; puis elle reprit, la joue contre sa joue:

—Oui, mais Pierre? Qu'allons-nous devenir avec lui!

Jean murmura:

—Nous trouverons quelque chose. Tu ne peux plus vivre auprès de lui.

Au souvenir de l'aîné elle fut crispée d'angoisse.

—Non, je ne puis plus, non! non!

Et se jetant sur le cœur de Jean, elle s'écria, l'âme en détresse:

—Sauve-moi de lui, toi, mon petit, sauve-moi, fais quelque chose, je ne sais pas. . . trouve. . . sauve-moi!

—Oui, maman, je chercherai.

—Tout de suite. . . il faut. . . Tout de suite. . . ne me quitte pas! J'ai si peur de lui. . . si peur!

—Oui, je trouverai. Je te promets.

—Oh! mais vite, vite! Tu ne comprends pas ce qui se passe en moi quand je le vois.

Puis elle lui murmura tout bas, dans l'oreille:

—Garde-moi ici, chez toi.

Il hésita, réfléchit et comprit, avec son bon sens positif, le danger de cette combinaison.

Mais il dut raisonner longtemps, discuter, combattre avec des arguments précis son affolement et sa terreur.

—Seulement ce soir, disait-elle, seulement cette nuit. Tu feras dire demain à Roland que je me suis trouvée malade.

—Ce n'est pas possible, puisque Pierre est rentré. Voyons, aie du courage. J'arrangerai tout, je te le promets, dès demain. Je serai à neuf heures à la maison. Voyons, mets ton chapeau. Je vais te reconduire.

—Je ferai ce que tu voudras, dit-elle avec un abandon enfantin, craintif et reconnaissant.

Elle essaya de se lever; mais le secousse avait été trop forte; elle ne pouvait encore se tenir sur ses jambes.

Alors il lui fit boire de l'eau sucrée, respirer de l'alcali, et il lui lava les tempes avec du vinaigre. Elle se laissait faire, brisée et soulagée comme après un accouchement.

Elle put enfin marcher et prit son bras. Trois heures sonnaient quand ils passèrent à l'hôtel de ville.

Devant la porte de leur logis il l'embrassa et lui dit: «Adieu, maman, bon courage.»

Elle monta, à pas furtifs, l'escalier silencieux, entra dans sa chambre, se dévêtit bien vite, et se glissa, avec l'émotion retrouvée des adultères anciens, auprès de Roland qui ronflait.

Seul dans la maison, Pierre ne dormait pas et l'avait entendue revenir.

VIII

Quand il fut rentré dans son appartement, Jean s'affaissa sur un divan, car les chagrins et les soucis qui donnaient à son frère des envies de courir et de fuir comme une bête chassée, agissant diversement sur sa nature somnolente, lui cassaient les jambes et les bras. Il se sentait mou à ne plus pouvoir faire un mouvement, à ne pouvoir gagner son lit, mou de corps et d'esprit, écrasé et désolé. Il n'était point frappé, comme l'avait été Pierre, dans la pureté de son amour filial, dans cette dignité secrète qui est l'enveloppe des cœurs fiers, mais accablé par un coup du destin qui menaçait en même temps ses intérêts les plus chers.

Quand son âme enfin se fut calmée, quand sa pensée se fut éclaircie ainsi qu'une eau battue et remuée, il envisagea la situation qu'on venait de lui révéler. S'il eût appris de toute autre manière le secret de sa naissance, il se serait assurément indigné et aurait ressenti un profond chagrin ; mais après sa querelle avec son frère, après cette délation violente et brutale ébranlant ses nerfs, l'émotion poignante de la confession de sa mère le laissa sans énergie pour se révolter. Le choc reçu par sa sensibilité avait été assez fort pour emporter, dans un irrésistible attendrissement, tous les préjugés et toutes les saintes susceptibilités de la morale naturelle. D'ailleurs, il n'était pas un homme de résistance. Il n'aimait lutter contre personne et encore moins contre lui-même ; il se résigna donc, et par un penchant instinctif, par un amour inné du repos, de la vie douce et tranquille, il s'inquiéta aussitôt des perturbations qui allaient surgir autour de lui et l'atteindre du même coup. Il les pressentait inévitables, et, pour les écarter, il se décida à des efforts surhumains d'énergie et d'activité. Il fallait que tout de suite, dès le lendemain, la difficulté fût tranchée, car il avait aussi par instants ce besoin impérieux des solutions immédiates qui constitue toute la force des faibles, incapables de vouloir longtemps. Son esprit d'avocat, habitué d'ailleurs à démêler et à étudier les situations compliquées, les questions d'ordre intime, dans les familles troublées, découvrit immédiatement toutes les conséquences prochaines de l'état d'âme de son frère. Malgré lui il en envisageait les suites à un point de vue presque professionnel, comme s'il eût réglé les relations futures de clients après une catastrophe d'ordre moral. Certes un contact continuel avec Pierre lui devenait impossible. Il l'éviterait facilement en restant chez lui, mais il était encore inadmissible que leur mère continuât à demeurer sous le même toit que son fils aîné.

Et longtemps il médita, immobile sur les coussins, imaginant et rejetant des combinaisons sans trouver rien qui pût le satisfaire.

Mais une idée soudaine l'assaillit:—Cette fortune qu'il avait reçue, un honnête homme la garderait-il?

Il se répondit: «Non,» d'abord, et se décida à la donner aux pauvres. C'était dur, tant pis. Il vendrait son mobilier et travaillerait comme un autre, comme travaillent tous ceux que débutent. Cette résolution virile et douloureuse fouettant son courage, il se leva et vint poser son front contre les vitres. Il avait été pauvre, il redeviendrait pauvre. Il n'en mourrait pas, après tout. Ses yeux regardaient le bec de gaz qui brûlait en face de lui de l'autre côté de la rue. Or, comme une femme attardée passait sur le trottoir, il songea brusquement à Mme Rosémilly, et il reçut au cœur la secousse des émotions profondes nées en nous d'une pensée cruelle. Toutes les conséquences désespérantes de sa décision lui apparurent

en même temps. Il devrait renoncer à épouser cette
femme, renoncer au bonheur, renoncer à tout. Pouvait-il
agir ainsi, maintenant qu'il s'était engagé vis-à-vis d'elle?
Elle l'avait accepté le sachant riche. Pauvre, elle l'accepterait encore; mais avait-il le droit de lui demander, de
lui imposer ce sacrifice? Ne valait-il pas mieux garder
cet argent comme un dépôt qu'il restituerait plus tard aux
indigents?

Et dans son âme où l'égoïsme prenait des masques
honnêtes, tous les intérêts déguisés luttaient et se com-
battaient. Les scrupules premiers cédaient la place aux
raisonnements ingénieux, puis reparaissaient, puis s'effa-
çaient de nouveau.

Il revint s'asseoir, cherchant un motif décisif, un prétexte tout puissant pour fixer ses hésitations et con-
vaincre sa droiture native. Vingt fois déjà il s'était posé
cette question: «Puisque je suis le fils de cet homme, que
je le sais et que je l'accepte, n'est-il pas naturel que
j'accepte aussi son héritage?» Mais cet argument ne
pouvait empêcher le «non» murmuré par la conscience
intime.

Soudain il songea: «Puisque je ne suis pas le fils de
celui que j'avais cru être mon père, je ne puis plus rien
accepter de lui, ni de son vivant, ni après sa mort. Ce
ne serait ni digne ni équitable. Ce serait voler mon
frère.»

Cette nouvelle manière de voir l'ayant soulagé, ayant
apaisé sa conscience, il retourna vers la fenêtre.

«Oui, se disait-il, il faut que je renonce à l'héritage de
ma famille, que je le laisse à Pierre tout entier, puisque
je ne suis pas l'enfant de son père. Cela est juste. Alors
n'est-il pas juste aussi que je garde l'argent de mon
père à moi?»

Ayant reconnu qu'il ne pouvait profiter de la fortune
de Roland, s'étant décidé à l'abandonner intégralement,

il consentit donc et se résigna à garder celle de Maréchal,
car en repoussant l'une et l'autre il se trouverait réduit
à la pure mendicité.

Cette affaire délicate une fois réglée, il revint à la
question de la présence de Pierre dans la famille. Comment l'écarter? Il désespérait de découvrir une solution
pratique, quand le sifflet d'un vapeur entrant au port
sembla lui jeter une réponse en lui suggérant une idée.

Alors il s'étendit tout habillé sur son lit et rêvassa
jusqu'au jour.

Vers neuf heures il sortit pour s'assurer si l'exécution
de son projet était possible. Puis, après quelques démarches et quelques visites, il se rendit à la maison de
ses parents. Sa mère l'attendait enfermée dans sa
chambre.

—Si tu n'étais pas venu, dit-elle, je n'aurais jamais
osé descendre.

On entendit aussitôt Roland qui criait dans l'escalier:

—On ne mange donc point aujourd'hui, nom d'un
chien!

On ne répondit pas et il hurla:

—Joséphine, nom de Dieu! qu'est-ce que vous faites?

La voix de la bonne sortit des profondeurs du sous-
sol:

—V'là, M'sieu, qué qui faut?

—Où est Madame?

—Madame est en haut avec m'sieu Jean!

Alors il vociféra en levant la tête vers l'étage supérieur:

—Louise?

Mme Roland entr'ouvrit la porte et répondit:

—Quoi? mon ami.

—On ne mange donc pas, nom d'un chien!

—Voilà, mon ami, nous venons.

Et elle descendit, suivie de Jean.

Roland s'écria en apercevant le jeune homme:

—Tiens, te voilà, toi! Tu t'embêtes déjà dans ton logis.

—Non, père, mais j'avais à causer avec maman ce matin.

Jean s'avança, la main ouverte, et quand il sentit se refermer sur ses doigts l'étreinte paternelle du vieillard, une émotion bizarre et imprévue le crispa, l'émotion des séparations et des adieux sans espoir de retour.

Mme Roland demanda:

—Pierre n'est pas arrivé?

Son mari haussa les épaules:

—Non, mais tant pis, il est toujours en retard. Commençons sans lui.

Elle se tourna vers Jean:

—Tu devrais aller le chercher, mon enfant; ça le blesse quand on ne l'attend pas.

—Oui, maman, j'y vais.

Et le jeune homme sortit.

Il monta l'escalier, avec la résolution fiévreuse d'un craintif qui va se battre.

Quand il eut heurté la porte, Pierre répondit:

—Entrez.

Il entra.

L'autre écrivait, penché sur sa table.

—Bonjour, dit Jean.

Pierre se leva.

—Bonjour.

Et ils se tendirent la main comme si rien ne s'était passé.

—Tu ne descends pas déjeuner?

—Mais... c'est que... j'ai beaucoup à travailler.

La voix de l'aîné tremblait, et son œil anxieux demandait au cadet ce qu'il allait faire.

—On t'attend.

—Ah! est-ce que. . . est-ce que notre mère est en
bas? . . .

—Oui, c'est même elle qui m'a envoyé te chercher.

—Ah! alors. . . je descends.

Devant la porte de la salle il hésita à se montrer le
premier; puis il ouvrit d'un geste saccadé, et il aperçut
son père et sa mère assis à table, face à face.

Il s'approcha d'elle d'abord sans lever les yeux, sans
prononcer un mot, et s'étant penché il lui tendit son front
à baiser comme il faisait depuis quelque temps, au lieu
de l'embrasser sur les joues comme jadis. Il devina
qu'elle approchait sa bouche, mais il ne sentit point les
lèvres sur sa peau, et il se redressa le cœur battant, après
ce simulacre de caresse.

Il se demandait: «Que se sont-ils dit, après mon départ?»

Jean répétait avec tendresse «mère» et «chère maman», prenait soin d'elle, la servait et lui versait à boire.
Pierre alors comprit qu'ils avaient pleuré ensemble, mais
il ne put pénétrer leur pensée! Jean croyait-il sa mère
coupable ou son frère un misérable?

Et tous les reproches qu'il s'était faits d'avoir dit
l'horrible chose, l'assaillirent de nouveau, lui serrant la
gorge et lui fermant la bouche, l'empêchant de manger
et de parler.

Il était envahi maintenant par un besoin de fuir intolérable, de quitter cette maison qui n'était plus sienne,
ces gens qui ne tenaient plus à lui que par d'imperceptibles liens. Et il aurait voulu partir sur l'heure, n'importe où, sentant que c'était fini, qu'il ne pouvait plus
rester près d'eux, qu'il les torturerait toujours malgré
lui, rien que par sa présence, et qu'ils lui feraient souffrir sans cesse un insoutenable supplice.

Jean parlait, causait avec Roland. Pierre n'écoutant
pas, n'entendait point. Il crut sentir cependant une in-

tention dans la voix de son frère et prit garde au sens
des paroles.

Jean disait:

—Ce sera, paraît-il, le plus beau bâtiment de leur
flotte. On parle de six mille cinq cents tonneaux. Il fera
son premier voyage le mois prochain.

· Roland s'étonnait:

—Déjà! Je croyais qu'il ne serait pas en état de
prendre la mer cet été.

—Pardon; on a poussé les travaux avec ardeur pour
que la première traversée ait lieu avant l'automne. J'ai
passé ce matin aux bureaux de la Compagnie et j'ai
causé avec un des administrateurs.

—Ah! ah! lequel?

—M. Marchand, l'ami particulier du président du conseil d'administration.

—Tiens, tu le connais?

—Oui. Et puis j'avais un petit service à lui demander.

—Ah! alors tu me feras visiter en grand détail la *Lorraine* dès qu'elle entrera dans le port, n'est-ce pas?

—Certainement, c'est très facile!

Jean paraissait hésiter, chercher ses phrases, poursuivre une introuvable transition. Il reprit:

—En somme, c'est une vie très acceptable qu'on mène
sur ces grands transatlantiques. On passe plus de la
moitié des mois à terre dans deux villes superbes, New-
York et le Havre, et le reste en mer avec des gens char-
mants. On peut même faire là des connaissances très
agréables et très utiles pour plus tard, oui, très utiles,
parmi les passagers. Songe que le capitaine, avec les
économies sur le charbon, peut arriver à vingt-cinq mille
francs par an, sinon plus. . .

Roland fit un «bigre!» suivi d'un sifflement, qui témoi-
gnait d'un profond respect pour la somme et pour le
capitaine.

Jean reprit:

—Le commissaire de bord peut atteindre dix mille, et le médecin a cinq mille de traitement fixe, avec logement, nourriture, éclairage, chauffage, service, etc., etc. Ce qui équivaut à dix mille au moins, c'est très beau.

Pierre, qui avait levé les yeux, rencontra ceux de son frère, et le comprit.

Alors, après une hésitation, il demanda:

—Est-ce très difficile à obtenir, les places de médecin sur un transatlantique?

—Oui et non. Tout dépend des circonstances et des protections.

Il y eut un long silence, puis le docteur reprit:

—C'est le mois prochain que part la *Lorraine?*

—Oui, le sept.

Et ils se turent.

Pierre songeait. Certes ce serait une solution s'il pouvait s'embarquer comme médecin sur ce paquebot. Plus tard on verrait; il le quitterait peut-être. En attendant il y gagnerait sa vie sans demander rien à sa famille. Il avait dû, l'avant-veille, vendre sa montre, car maintenant il ne tendait plus la main devant sa mère! Il n'avait donc aucune ressource, hors celle-là, aucun moyen de manger d'autre pain que le pain de la maison inhabitable, de dormir dans un autre lit, sous un autre toit. Il dit alors, en hésitant un peu:

—Si je pouvais, je partirais volontiers là-dessus, moi.

Jean demanda:

—Pourquoi ne pourrais-tu pas?

—Parce que je ne connais personne à la Compagnie transatlantique.

Roland demeurait stupéfait:

—Et tous tes beaux projets de réussite, que deviennent-ils?

Pierre murmura:

—Il y a des jours où il faut savoir tout sacrifier, et renoncer aux meilleurs espoirs. D'ailleurs, ce n'est qu'un début, un moyen d'amasser quelques milliers de francs pour m'établir ensuite.

Son père, aussitôt, fut convaincu:

—Ça, c'est vrai. En deux ans tu peux mettre de côté six ou sept mille francs, qui bien employés te mèneront loin. Qu'en penses-tu, Louise?

Elle répondit d'une voix basse, presque inintelligible:

—Je pense que Pierre a raison.

Roland s'écria:

—Mais je vais en parler à M. Poulin, que je connais beaucoup! Il est juge au tribunal de commerce et il s'occupe des affaires de la Compagnie. J'ai aussi M. Lenient, l'armateur qui est intime avec un des vice-présidents.

Jean demanda à son frère:

—Veux-tu que je tâte aujourd'hui même M. Marchand?

—Oui, je veux bien.

Pierre reprit, après avoir songé quelques instants:

—Le meilleur moyen serait peut-être encore d'écrire à mes maîtres de l'Ecole de médecine qui m'avaient en grande estime. On embarque souvent sur ces bateaux-là des sujets médiocres. Des lettres très chaudes des professeurs Mas-Roussel, Rémusot, Flache et Borriquel enlèveraient la chose en une heure mieux que toutes les recommandations douteuses. Il suffirait de faire présenter ces lettres par ton ami M. Marchand au conseil d'administration.

Jean approuvait tout à fait:

—Ton idée est excellente, excellente!

Et il souriait, rassuré, presque content, sûr du succès, étant incapable de s'affliger longtemps.

—Tu vas leur écrire aujourd'hui même, dit-il.

—Tout à l'heure, tout de suite. J'y vais. Je ne prendrai pas de café ce matin, je suis trop nerveux.

Il se leva et sortit.

Alors Jean se tourna vers sa mère:

—Toi, maman, qu'est-ce que tu fais?

—Rien. . . je ne sais pas.

—Veux-tu venir avec moi jusque chez Mme Rosémilly?

—Mais. . . oui. . . oui. . .

—Tu sais. . . il est indispensable que j'y aille aujourd'hui.

—Oui. . . oui. . . C'est vrai.

—Pourquoi ça, indispensable? demanda Roland, habitué d'ailleurs à ne jamais comprendre ce qu'on disait devant lui.

—Parce que je lui ai promis d'y aller.

—Ah! très bien. C'est différent, alors.

Et il se mit à bourrer sa pipe, tandis que la mère et le fils montaient l'escalier pour prendre leurs chapeaux.

Quand ils furent dans la rue, Jean lui demanda:

—Veux-tu mon bras, maman?

Il ne le lui offrait jamais, car ils avaient l'habitude de marcher côte à côte. Elle accepta et s'appuya sur lui.

Ils ne parlèrent point pendant quelque temps, puis il lui dit:

—Tu vois que Pierre consent parfaitement à s'en aller.

Elle murmura:

—Le pauvre garçon!

—Pourquoi ça, le pauvre garçon? Il ne sera pas malheureux du tout sur la *Lorraine*.

—Non. . . je sais bien, mais je pense à tant de choses.

Longtemps elle songea, la tête baissée, marchant du même pas que son fils, puis avec cette voix bizarre qu'on prend par moments pour conclure une longue et secrète pensée:

—C'est vilain, la vie! Si on y trouve une fois un peu
de douceur, on est coupable de s'y abandonner et on le
paye bien cher plus tard.

Il dit, très bas:

—Ne parle plus de ça, maman.

—Est-ce possible? j'y pense tout le temps.

—Tu oublieras.

Elle se tut encore, puis, avec un regret profond:

—Ah! comme j'aurais pu être heureuse en épousant
un autre homme!

A présent, elle s'exaspérait contre Roland, rejetant
sur sa laideur, sur sa bêtise, sur sa gaucherie, sur la
pesanteur de son esprit et l'aspect commun de sa personne toute la responsabilité de sa faute et de son malheur. C'était à cela, à la vulgarité de cet homme, qu'elle
devait de l'avoir trompé, d'avoir désespéré un de ses fils
et fait à l'autre la plus douloureuse confession dont pût
saigner le cœur d'une mère.

Elle murmura: «C'est si affreux pour une jeune fille
d'épouser un mari comme le mien.» Jean ne répondait
pas. Il pensait à celui dont il avait cru jusqu'ici être le
fils, et peut-être la notion confuse qu'il portait depuis
longtemps de la médiocrité paternelle, l'ironie constante
de son frère, l'indifférence dédaigneuse des autres et
jusqu'au mépris de la bonne pour Roland avaient-ils pré-
paré son âme à l'aveu terrible de sa mère. Il lui en coû-
tait moins d'être le fils d'un autre; et après la grande
secousse d'émotion de la veille, s'il n'avait pas eu le
contre-coup de révolte, d'indignation et de colère redouté
par Mme Roland, c'est que depuis bien longtemps il
souffrait inconsciemment de se sentir l'enfant de ce lour-
daud bonasse.

Ils étaient arrivés devant la maison de Mme Rosémilly.

Elle habitait, sur la route de Sainte-Adresse, le

deuxième étage d'une grande construction qui lui appartenait. De ses fenêtres on découvrait toute la rade du
Havre.

En apercevant Mme Roland qui entrait la première,
au lieu de lui tendre les mains comme toujours, elle
ouvrit les bras et l'embrassa, car elle devinait l'intention
de sa démarche.

Le mobilier du salon, en velours frappé, était toujours
recouvert de housses. Les murs, tapissés de papier à
fleurs, portaient quatre gravures achetées par le premier
mari, le capitaine. Elles représentaient des scènes mari-
times et sentimentales. On voyait, sur la première, la
femme d'un pêcheur agitant un mouchoir sur une côte,
tandis que disparaît à l'horizon la voile qui emporte son
homme. Sur la seconde, la même femme, à genoux sur
la même côte, se tord les bras en regardant au loin, sous
un ciel plein d'éclairs, sur une mer de vagues invraisem-
blables, la barque de l'époux qui va sombrer.

Les deux autres gravures représentaient des scènes
analogues dans une classe supérieure de la société.

Une jeune femme blonde rêve, accoudée sur le bordage d'un grand paquebot qui s'en va. Elle regarde la
côte déjà lointaine d'un œil mouillé de larmes et de regrets.

Qui a-t-elle laissé derrière elle?

Puis, la même jeune femme assise près d'une fenêtre
ouverte sur l'Océan est évanouie dans un fauteuil. Une
lettre vient de tomber de ses genoux sur le tapis.

Il est donc mort, quel désespoir !

Les visiteurs, généralement, étaient émus et séduits
par la tristesse banale de ces sujets transparents et
poétiques. On comprenait tout de suite, sans explication
et sans recherche, et on plaignait les pauvres femmes,
bien qu'on ne sût pas au juste la nature du chagrin de la
plus distinguée. Mais ce doute même aidait à la rêverie.

Elle avait dû perdre son fiancé! L'œil, dès l'entrée, était attiré invinciblement vers ces quatre sujets et retenu comme par une fascination. Il ne s'en écartait que pour y revenir toujours, et toujours contempler les quatre expressions des deux femmes qui se ressemblaient comme deux sœurs. Il se dégageait surtout du dessin net, bien fini, soigné, distingué à la façon d'une gravure de mode, ainsi que du cadre bien luisant, une sensation de propreté et de rectitude qu'accentuait encore le reste de l'ameublement.

Les sièges demeuraient rangés suivant un ordre invariable, les uns contre la muraille, les autres autour du guéridon. Les rideaux blancs, immaculés, avaient des plis si droits et si réguliers qu'on avait envie de les friper un peu; et jamais un grain de poussière ne ternissait le globe où la pendule dorée, de style Empire, une mappemonde portée par Atlas agenouillé, semblait mûrir comme un melon d'appartement.

Les deux femmes en s'asseyant modifièrent un peu la place normale de leurs chaises.

—Vous n'êtes pas sortie aujourd'hui? demandait Mme Roland.

—Non. Je vous avoue que je suis un peu fatiguée.

Et elle rappela, comme pour en remercier Jean et sa mère, tout le plaisir qu'elle avait pris à cette excursion et à cette pêche.

—Vous savez, disait-elle, que j'ai mangé ce matin mes salicoques. Elles étaient délicieuses. Si vous voulez, nous recommencerons un jour ou l'autre cette partie-là...

Le jeune homme l'interrompit:

—Avant d'en commencer une seconde, si nous terminions la première?

—Comment ça? Mais il me semble qu'elle est finie.

—Oh! Madame, j'ai fait, de mon côté, dans ce rocher

de Saint-Jouin, une pêche que je veux aussi rapporter chez moi.

Elle prit un air naïf et malin:

—Vous? Quoi donc? Qu'est-ce que vous avez trouvé?

—Une femme! Et nous venons, maman et moi, vous demander si elle n'a pas changé d'avis ce matin.

Elle se mit à sourire:

—Non, Monsieur, je ne change jamais d'avis, moi.

Ce fut lui qui lui tendit alors sa main toute grande, où elle fit tomber la sienne d'un geste vif et résolu. Et il demanda:

—Le plus tôt possible, n'est-ce pas?

—Quand vous voudrez.

—Six semaines?

—Je n'ai pas d'opinion. Qu'en pense ma future belle-mère?

Mme Roland répondit avec un sourire un peu mélancolique:

—Oh! moi, je ne pense rien. Je vous remercie seulement d'avoir bien voulu Jean, car vous le rendrez très heureux.

—On fera ce qu'on pourra, maman.

Un peu attendrie, pour la première fois, Mme Rosémilly se leva et, prenant à pleins bras Mme Roland, l'embrassa longtemps comme un enfant; et sous cette caresse nouvelle, une émotion puissante gonfla le cœur malade de la pauvre femme. Elle n'aurait pu dire ce qu'elle éprouvait. C'était triste et doux en même temps. Elle avait perdu un fils, un grand fils, et on lui rendait à la place une fille, une grande fille.

Quand elles se retrouvèrent face à face, sur leurs sièges, elles se prirent les mains et restèrent ainsi, se regardant et se souriant, tandis que Jean semblait presque oublié d'elles.

Puis elles parlèrent d'un tas de choses auxquelles il

fallait songer pour ce prochain mariage, et quand tout
fut décidé, réglé, Mme Rosémilly parut soudain se souvenir d'un détail et demanda:

—Vous avez consulté M. Roland, n'est-ce pas?

La même rougeur couvrit soudain les joues de la
mère et du fils. Ce fut la mère qui répondit:

—Oh! non, c'est inutile!

Puis elle hésita, sentant qu'une explication était nécessaire, et elle reprit:

—Nous faisons tout sans rien lui dire. Il suffit de lui
annoncer ce que nous avons décidé.

Mme Rosémilly, nullement surprise, souriait, jugeant
cela bien naturel, car le bonhomme comptait si peu.

Quand Mme Roland se retrouva dans la rue avec son
fils:

—Si nous allions chez toi, dit-elle. Je voudrais bien
me reposer.

Elle se sentait sans abri, sans refuge, ayant l'épou-
vante de sa maison.

Ils entrèrent chez Jean.

Dès qu'elle sentit la porte fermée derrière elle, elle
poussa un gros soupir comme si cette serrure l'avait mise
en sûreté; puis, au lieu de se reposer, comme elle l'avait
dit, elle commença à ouvrir les armoires, à vérifier les
piles de linge, le nombre des mouchoirs et des chaussettes. Elle changeait l'ordre établi pour chercher des
arrangements plus harmonieux, qui plaisaient davantage
à son œil de ménagère; et quand elle eut disposé les
choses à son gré, aligné les serviettes, les caleçons et les
chemises sur leurs tablettes spéciales, divisé tout le linge
en trois classes principales, linge de corps, linge de maison et linge de table, elle se recula pour contempler son
œuvre, et elle dit:

—Jean, viens donc voir comme c'est joli.

Il se leva et admira pour lui faire plaisir.

Soudain, comme il s'était rassis, elle s'approcha de son fauteuil à pas légers, par derrière, et, lui enlaçant le cou de son bras droit, elle l'embrassa en posant sur la cheminée un petit objet enveloppé dans un papier blanc, qu'elle tenait de l'autre main.

Il demanda:

—Qu'est-ce que c'cst?

Comme elle ne répondait pas, il comprit, en reconnaissant la forme du cadre:

—Donne! dit-il.

Mais elle feignit de ne pas entendre, et retourna vers ses armoires. Il se leva, prit vivement cette relique douloureuse et, traversant l'appartement, alla l'enfermer à double tour, dans le tiroir de son bureau. Alors elle essuya du bout de ses doigts une larme au bord de ses yeux, puis elle dit, d'une voix un peu chevrotante:

—Maintenant, je vais voir si ta nouvelle bonne tient bien ta cuisine. Comme elle est sortie en ce moment, je pourrai tout inspecter pour me rendre compte.

Les lettres de recommandation des professeurs Mas-
Roussel, Rémusot, Flache et Borriquel, écrites dans les
termes les plus flatteurs pour le Dr Pierre Roland, leur
élève, avaient été soumises par M. Marchand au conseil
de la Compagnie transatlantique, appuyées par MM.
Poulin, juge au tribunal de commerce, Lenient, gros armateur, et Marival, adjoint au maire du Havre, ami particulier du capitaine Beausire.

Il se trouvait que le médecin de la *Lorraine* n'était pas
encore désigné, et Pierre eut la chance d'être nommé en
quelques jours.

Le pli qui l'en prévenait lui fut remis par la bonne
Joséphine, un matin, comme il finissait sa toilette.

Sa première émotion fut celle du condamné à mort à
qui on annonce sa peine commuée ; et il sentit immédiatement sa souffrance adoucie un peu par la pensée de ce
départ et de cette vie calme, toujours bercée par l'eau
qui roule, toujours errante, toujours fuyante.

Il vivait maintenant dans la maison paternelle en
étranger muet et réservé. Depuis le soir où il avait
laissé s'échapper devant son frère l'infâme secret dé-
couvert par lui, il sentait qu'il avait brisé les dernières
attaches avec les siens. Un remords le harcelait d'avoir
dit cette chose à Jean. Il se jugeait odieux, malpropre,
méchant, et cependant il était soulagé d'avoir parlé.

Jamais il ne rencontrait plus le regard de sa mère ou
le regard de son frère. Leurs yeux pour s'éviter avaient
pris une mobilité surprenante et des ruses d'ennemis qui
redoutent de se croiser. Toujours il se demandait :

«Qu'a-t-elle pu dire à Jean? A-t-elle avoué ou a-t-elle nié? Que croit mon frère? Que pense-t-il d'elle, que pense-t-il de moi?» Il ne devinait pas et s'en exaspérait. Il ne leur parlait presque plus d'ailleurs, sauf devant Roland afin d'éviter ses questions.

Quand il eut reçu la lettre lui annonçant sa nomination, il la présenta, le jour même, à sa famille. Son père, qui avait une grande tendance à se réjouir de tout, battit des mains. Jean répondit d'un ton sérieux, mais l'âme pleine de joie:

—Je te félicite de tout mon cœur, car je sais qu'il y avait beaucoup de concurrents. Tu dois cela certainement aux lettres de tes professeurs.

Et sa mère baissa la tête en murmurant:

—Je suis bien heureuse que tu aies réussi.

Il alla, après le déjeuner, aux bureaux de la Compagnie, afin de se renseigner sur mille choses; et il demanda le nom du médecin de la *Picardie* qui devait partir le lendemain, pour s'informer près de lui de tous les détails de sa vie nouvelle et des particularités qu'il y devait rencontrer.

Le Dr Pirette étant à bord, il s'y rendit, et il fut reçu dans une petite chambre de paquebot par un jeune homme à barbe blonde qui ressemblait à son frère. Ils causèrent longtemps.

On entendait dans les profondeurs sonores de l'immense bâtiment une grande agitation confuse et continue, où la chute des marchandises entassées dans les cales se mêlait aux pas, aux voix, au mouvement des machines chargeant les caisses, aux sifflets des contremaîtres et à la rumeur des chaînes traînées ou enroulées sur les treuils par l'haleine rauque de la vapeur qui faisait vibrer un peu le corps entier du gros navire.

Mais lorsque Pierre eut quitté son collègue et se retrouva dans la rue, une tristesse nouvelle s'abattit sur

lui, et l'enveloppa comme ces brumes qui courent sur la
mer, venues du bout du monde et qui portent dans leur
épaisseur insaisissable quelque chose de mystérieux et
d'impur comme le souffle pestilentiel de terres malfai-
santes et lointaines.

En ses heures de plus grande souffrance, il ne s'était
jamais senti plongé ainsi dans un cloaque de misère.
C'est que la dernière déchirure était faite; il ne tenait
plus à rien. En arrachant de son cœur les racines de
toutes ses tendresses, il n'avait pas éprouvé encore cette
détresse de chien perdu qui venait soudain de le saisir.

Ce n'était plus une douleur morale et torturante, mais
l'affolement d'une bête sans abri, une angoisse matérielle
d'être errant qui n'a plus de toit et que le pluie, le vent,
l'orage, toutes les forces brutales du monde vont assaillir.
En mettant le pied sur ce paquebot, en entrant dans
cette chambrette balancée sur les vagues, la chair de
l'homme qui a toujours dormi dans un lit immobile et
tranquille s'était révoltée contre l'insécurité de tous les
lendemains futurs. Jusqu'alors elle s'était sentie pro-
tégée, cette chair, par le mur solide enfoncé dans la terre
qui le tient, et par la certitude du repos à la même place,
sous le toit qui résiste au vent. Maintenant, tout ce qu'on
aime braver dans la chaleur du logis fermé deviendrait
un danger et une constante souffrance.

Plus de sol sous les pas, mais la mer qui roule, qui
gronde et engloutit. Plus d'espace autour de soi, pour
se promener, courir, se perdre par les chemins, mais
quelques mètres de planches pour marcher comme un
condamné au milieu d'autres prisonniers. Plus d'arbres,
de jardins, de rues, de maisons, rien que de l'eau et des
nuages. Et sans cesse il sentirait remuer ce navire sous
ses pieds. Les jours d'orage il faudrait s'appuyer aux
cloisons, s'accrocher aux portes, se cramponner aux
bords de la couchette étroite pour ne point rouler par

terre. Les jours de calme il entendrait la trépidation
ronflante de l'hélice et sentirait fuir ce bateau qui le
porte, d'une fuite continue, régulière, exaspérante.

Et il se trouvait condamné à cette vie de forçat vaga-
bond, uniquement parce que sa mère s'était livrée aux
caresses d'un homme.

Il allait devant lui, défaillant à présent sous la mélan-
colie désolée des gens qui vont s'expatrier.

Il ne se sentait plus au cœur ce mépris hautain, cette
haine dédaigneuse pour les inconnus qui passent, mais
une triste envie de leur parler, de leur dire qu'il allait
quitter la France, d'être écouté et consolé. C'était, au
fond de lui, un besoin honteux de pauvre qui va tendre
la main, un besoin timide et fort de sentir quelqu'un
souffrir de son départ.

Il songea à Marowsko. Seul le vieux Polonais l'aimait
assez pour ressentir une vraie et poignante émotion ; et
le docteur se décida tout de suite à l'aller voir.

Quand il entra dans la boutique, le pharmacien, qui
pilait des poudres au fond d'un mortier de marbre, eut
un petit tressaillement et quitta sa besogne :

—On ne vous aperçoit plus jamais ! dit-il.

Le jeune homme expliqua qu'il avait eu à entreprendre
des démarches nombreuses, sans en dévoiler le motif, et
il s'assit en demandant :

—Eh bien ! les affaires vont-elles ?

Elles n'allaient pas, les affaires. La concurrence était
terrible, le malade rare et pauvre dans ce quartier tra-
vailleur. On n'y pouvait vendre que des médicaments à
bon marché ; et les médecins n'y ordonnaient point ces
remèdes rares et compliqués sur lesquels on gagne cinq
cents pour cent. Le bonhomme conclut :

—Si ça dure encore trois mois comme ça, il faudra fermer boutique. Si je ne comptais pas sur vous, mon bon
docteur, je me serais déjà mis à cirer des bottes.

Pierre sentit son cœur se serrer, et il se décida brusquement à porter le coup, puisqu'il le fallait:

—Oh! moi. . . moi. . . je ne pourrai plus vous être d'aucun secours. Je quitte le Havre au commencement du mois prochain.

Marowsko ôta ses lunettes, tant son émotion fut vive.

—Vous. . . vous. . . qu'est-ce que vous dites là?

—Je dis que je m'en vais, mon pauvre ami.

Le vieux demeurait atterré, sentant crouler son dernier espoir, et il se révolta soudain contre cet homme qu'il avait suivi, qu'il aimait, en qui il avait eu tant de confiance, et qui l'abandonnait ainsi.

Il bredouilla:

—Mais vous n'allez pas me trahir à votre tour, vous?

Pierre se sentait tellement attendri qu'il avait envie de l'embrasser:

—Mais je ne vous trahis pas. Je n'ai point trouvé à me caser ici et je pars comme médecin sur un paquebot transatlantique.

—Oh! monsieur Pierre! Vous m'aviez si bien promis de m'aider à vivre!

—Que voulez-vous! Il faut que je vive moi-même. Je n'ai pas un sou de fortune.

Marowsko répétait:

—C'est mal, c'est mal, ce que vous faites. Je n'ai plus qu'à mourir de faim, moi. A mon âge, c'est fini. C'est mal. Vous abandonnez un pauvre vieux qui est venu pour vous suivre. C'est mal.

Pierre voulait s'expliquer, protester, donner ses raisons, prouver qu'il n'avait pu faire autrement; le Polonais n'écoutait point, révolté de cette désertion, et il finit par dire, faisant allusion sans doute à des événements politiques:

—Vous autres Français, vous ne tenez pas vos promesses.

Alors Pierre se leva, froissé à son tour, et le prenant d'un peu haut:

—Vous êtes injuste, père Marowsko. Pour se décider à ce que j'ai fait, il faut de puissants motifs; et vous devriez le comprendre. Au revoir. J'espère que je vous retrouverai plus raisonnable.

Et il sortit.

—Allons, pensait-il, personne n'aura pour moi un regret sincère.

Sa pensée cherchait, allant à tous ceux qu'il connaissait, ou qu'il avait connus, et elle retrouva, au milieu de tous les visages défilant dans son souvenir, celui de la fille de brasserie qui lui avait fait soupçonner sa mère.

Il hésita, gardant contre elle une rancune instinctive, puis soudain, se décidant, il pensa: «Elle avait raison, après tout.» Et il s'orienta pour retrouver sa rue.

La brasserie était, par hasard, remplie de monde et remplie aussi de fumée. Les consommateurs, bourgeois et ouvriers, car c'était un jour de fête, appelaient, riaient, criaient, et le patron lui-même servait, courant de table en table, emportant des bocks vides et les rapportant pleins de mousse.

Quand Pierre eut trouvé une place, non loin du comptoir, il attendit, espérant que la bonne le verrait et le reconnaîtrait.

Mais elle passait et repassait devant lui, sans un coup d'œil, trottant menu sous ses jupes avec un petit dandinement gentil.

Il finit par frapper la table d'une pièce d'argent. Elle accourut.

—Que désirez-vous, Monsieur?

Elle ne le regardait pas, l'esprit perdu dans le calcul des consommations servies.

—Eh bien! fit-il, c'est comme ça qu'on dit bonjour à ses amis?

Elle fixa ses yeux sur lui, et d'une voix pressée:

—Ah! c'est vous. Vous allez bien. Mais je n'ai pas le temps aujourd'hui. C'est un bock que vous voulez?

—Oui, un bock.

Quand elle l'apporta, il reprit:

—Je viens te faire mes adieux. Je pars.

Elle répondit avec indifférence:

—Ah bah! Où allez-vous?

—En Amérique.

—On dit que c'est un beau pays.

Et rien de plus. Vraiment il fallait être bien malavisé pour lui parler ce jour-là. Il y avait trop de monde au café!

Et Pierre s'en alla vers la mer. En arrivant sur la jetée, il vit la *Perle* qui rentrait portant son père et le capitaine Beausire. Le matelot Papagris ramait; et les deux hommes, assis à l'arrière, fumaient leur pipe avec un air de parfait bonheur. Le docteur songea en les voyant passer: «Bienheureux les simples d'esprit.»

Et il s'assit sur un des bancs du brise-lames pour tâcher de s'engourdir dans une somnolence de brute.

Quand il rentra, le soir, à la maison, sa mère lui dit, sans oser lever les yeux sur lui:

—Il va te falloir un tas d'affaires pour partir, et je suis un peu embarrassée. Je t'ai commandé tantôt ton linge de corps et j'ai passé chez le tailleur pour les habits; mais n'as-tu besoin de rien autre, de choses que je ne connais pas, peut-être?

Il ouvrit la bouche pour dire: «Non, de rien.» Mais il songea qu'il lui fallait au moins accepter de quoi se vêtir décemment, et ce fut d'un ton très calme qu'il répondit:

—Je ne sais pas encore, moi; je m'informerai à la Compagnie.

Il s'informa, et on lui remit la liste des objets indispensables. Sa mère, en la recevant de ses mains, le regarda pour la première fois depuis bien longtemps, et elle avait au fond des yeux l'expression si humble, si douce, si triste, si suppliante des pauvres chiens battus qui demandent grâce.

Le 1er octobre, la *Lorraine,* venant de Saint-Nazaire, entra au port du Havre, pour en repartir le 7 du même mois à destination de New-York; et Pierre Roland dut prendre possession de la petite cabine flottante où serait désormais emprisonnée sa vie.

Le lendemain, comme il sortait, il rencontra dans l'escalier sa mère qui l'attendait et qui murmura d'une voix à peine intelligible:

—Tu ne veux pas que je t'aide à t'installer sur ce bateau?

—Non, merci, tout est fini.

Elle murmura:

—Je désire tant voir ta chambrette.

—Ce n'est pas la peine. C'est très laid et très petit.

Il passa, la laissant atterrée, appuyée au mur, et la face blême.

Or Roland, qui visita la *Lorraine* ce jour-là même, ne parla pendant le dîner que de ce magnifique navire et s'étonna beaucoup que sa femme n'eût aucune envie de le connaître puisque leur fils allait s'embarquer dessus.

Pierre ne vécut guère dans sa famille pendant les jours qui suivirent. Il était nerveux, irritable, dur, et sa parole brutale semblait fouetter tout le monde. Mais la veille de son départ il parut soudain très changé, très adouci. Il demanda, au moment d'embrasser ses parents avant d'aller coucher à bord pour la première fois:

—Vous viendrez me dire adieu, demain sur le bateau?

Roland s'écria:

—Mais oui, mais oui, parbleu. N'est-ce pas, Louise?

—Mais certainement, dit-elle tout bas.

Pierre reprit:

—Nous partons à onze heures juste. Il faut être là-bas à neuf heures et demie au plus tard.

—Tiens! s'écria son père, une idée. En te quittant nous courrons bien vite nous embarquer sur la *Perle* afin de t'attendre hors des jetées et de te voir encore une fois. N'est-ce pas, Louise?

—Oui, certainement.

Roland reprit:

—De cette façon, tu ne nous confondras pas avec la foule qui encombre le môle quand partent les transatlantiques. On ne peut jamais reconnaître les siens dans le tas. Ça te va?

—Mais oui, ça me va. C'est entendu.

Une heure plus tard il était étendu dans son petit lit marin, étroit et long comme un cercueil. Il y resta long-temps, les yeux ouverts, songeant à tout ce qui s'était passé depuis deux mois dans sa vie, et surtout dans son âme. A force d'avoir souffert et fait souffrir les autres, sa douleur agressive et vengeresse s'était fatiguée, comme une lame émoussée. Il n'avait presque plus le courage d'en vouloir à quelqu'un et de quoi que ce fût, et il laissait aller sa révolte à vau-l'eau à la façon de son existence. Il se sentait tellement las de lutter, las de frapper, las de détester, las de tout, qu'il n'en pouvait plus et tâchait d'engourdir son cœur dans l'oubli, comme on tombe dans le sommeil. Il entendait vaguement autour de lui les bruits nouveaux du navire, bruits légers, à peine perceptibles en cette nuit calme du port; et de sa blessure jusque-là si cruelle il ne sentait plus aussi que les tiraillements douloureux des plaies qui se cica-trisent.

Il avait dormi profondément quand le mouvement des matelots le tira de son repos. Il faisait jour, le train de marée arrivait au quai amenant les voyageurs de Paris.

Alors il erra sur le navire au milieu de ces gens affairés, inquiets, cherchant leurs cabines, s'appelant, se questionnant et se répondant au hasard, dans l'effarement du voyage commencé. Après qu'il eut salué le capitaine et serré la main de son compagnon le commissaire du bord, il entra dans le salon où quelques Anglais sommeillaient déjà dans les coins. La grande pièce aux murs de marbre blanc encadrés de filets d'or prolongeait indéfiniment dans les glaces la perspective de ses longues tables flanquées de deux lignes illimitées de sièges tournants, en velours grenat. C'était bien là le vaste hall flottant et cosmopolite où devaient manger en commun les gens riches de tous les continents. Son luxe opulent était celui des grands hôtels, des théâtres, des lieux publics, le luxe imposant et banal qui satisfait l'œil des millionnaires. Le docteur allait passer dans la partie du navire réservée à la seconde classe, quand il se souvint qu'on avait embarqué la veille au soir un grand troupeau d'émigrants, et il descendit dans l'entrepont. En y pénétrant, il fut saisi par une odeur nauséabonde d'humanité pauvre et malpropre, puanteur de chair nue plus écœurante que celle du poil ou de la laine des bêtes. Alors, dans une sorte de souterrain obscur et bas, pareil aux galeries des mines, Pierre aperçut des centaines d'hommes, de femmes et d'enfants étendus sur des planches superposées ou grouillant par tas sur le sol. Il ne distinguait point les visages, mais voyait vaguement cette foule sordide en haillons, cette foule de misérables vaincus par la vie, épuisés, écrasés, partant avec une femme maigre et des enfants exténués pour une terre inconnue, où ils espéraient ne point mourir de faim, peut-être.

Et songeant au travail passé, au travail perdu, aux efforts stériles, à la lutte acharnée, reprise chaque jour en vain, à l'énergie dépensée par ces gueux, qui allaient

reeommencer encore, sans savoir où, cette existence
d'abominable misère, le docteur eut envie de leur crier:
«Mais foutez-vous donc à l'eau avec vos femelles et vos
petits!» Et son cœur fut tellement étreint par la pitié
qu'il s'en alla, ne pouvant supporter leur vue.

Son père, sa mère, son frère et Mme Rosémilly l'atten-
daient déjà dans sa cabine.

—Si tôt, dit-il.

—Oui, répondit Mme Roland d'une voix tremblante,
nous voulions avoir le temps de te voir un peu.

Il la regarda. Elle était en noir, comme si elle eût
porté un deuil, et il s'aperçut brusquement que ses cheveux, encore gris le mois dernier, devenaient tout blancs
à présent.

Il eut grand'peine à faire asseoir les quatre personnes
dans sa petite demeure, et il sauta sur son lit. Par la
porte restée ouverte on voyait passer une foule nombreuse comme celle d'une rue un jour de fête, car tous
les amis des embarqués et une armée de simples curieux
avaient envahi l'immense paquebot. On se promenait
dans les couloirs, dans les salons, partout, et des têtes
s'avançaient jusque dans la chambre tandis que des voix
murmuraient au dehors: «C'est l'appartement du docteur.»

Alors Pierre poussa la porte; mais dès qu'il se sentit
enfermé avec les siens, il eut envie de la rouvrir, car
l'agitation du navire trompait leur gêne et leur silence.

Mme Rosémilly voulut enfin parler:

—Il vient bien peu d'air par ces petites fenêtres, dit-
elle.

—C'est un hublot, répondit Pierre.

Il en montra l'épaisseur qui rendait le verre capable
de résister aux chocs les plus violents, puis il expliqua
longuement le système de fermeture. Roland à son tour
demanda:

—Tu as ici même la pharmacie?

Le docteur ouvrit une armoire et fit voir une bibliothèque de fioles qui portaient des noms latins sur des carrés de papier blanc.

Il en prit une pour énumérer les propriétés de la matière qu'elle contenait, puis une seconde, puis une troisième, et il fit un vrai cours de thérapeutique qu'on semblait écouter avec grande attention.

Roland répétait en remuant la tête:

—Est-ce intéressant cela!

On frappa doucement contre la porte.

—Entrez! cria Pierre.

Et le capitaine Beausire parut.

Il dit, en tendant la main:

—Je viens tard parce que je n'ai pas voulu gêner vos épanchements.

Il dut aussi s'asseoir sur le lit. Et le silence recommença.

Mais, tout à coup, le capitaine prêta l'oreille. Des commandements lui parvenaient à travers la cloison, et il annonça:

—Il est temps de nous en aller si nous voulons embarquer dans la *Perle* pour vous voir encore à la sortie, et vous dire adieu en pleine mer.

Roland père y tenait beaucoup, afin d'impressionner les voyageurs de la *Lorraine* sans doute, et il se leva avec empressement:

—Allons, adieu, mon garçon.

Il embrassa Pierre sur ses favoris, puis rouvrit la porte.

Mme Roland ne bougeait point et demeurait les yeux baissés, très pâle.

Son mari lui toucha le bras:

—Allons, dépêchons-nous, nous n'avons pas une minute à perdre.

Elle se dressa, fit un pas vers son fils et lui tendit, l'une après l'autre, deux joues de cire blanche, qu'il baisa sans dire un mot. Puis il serra la main de Mme Rosémilly, et celle de son frère en lui demandant:

—A quand ton mariage?

—Je ne sais pas encore au juste. Nous le ferons coïncider avec un de tes voyages.

Tout le monde enfin sortit de la chambre et remonta sur le pont encombré de public, de porteurs de paquets et de marins.

La vapeur ronflait dans le ventre énorme du navire qui semblait frémir d'impatience.

—Adieu, dit Roland toujours pressé.

—Adieu, répondit Pierre debout au bord d'un des petits ponts de bois qui faisaient communiquer la *Lorraine* avec le quai.

Il serra de nouveau toutes les mains et sa famille s'éloigna.

—Vite, vite, en voiture! criait le père.

Un fiacre les attendait qui les conduisit à l'avant-port où Papagris tenait la *Perle* toute prête à prendre le large.

Il n'y avait aucun souffle d'air; c'était un de ces jours secs et calmes d'automne, où la mer polie semble froide et dure comme de l'acier.

Jean saisit un aviron, le matelot borda l'autre et ils se mirent à ramer. Sur le brise-lames, sur les jetées, jusque sur les parapets de granit, une foule innombrable, remuante et bruyante, attendait la *Lorraine*.

La *Perle* passa entre ces deux vagues humaines et fut bientôt hors du môle.

Le capitaine Beausire, assis entre les deux femmes, tenait la barre et il disait:

—Vous allez voir que nous nous trouverons juste sur sa route, mais là, juste.

Et les deux rameurs tiraient de toute leur force pour
aller le plus loin possible. Tout à coup Roland s'écria:

—La voilà. J'aperçois sa mâture et ses deux cheminées. Elle sort du bassin.

—Hardi! les enfants, répétait Beausire.

Mme Roland prit son mouchoir dans sa poche et le
posa sur ses yeux.

Roland était debout, cramponné au mât; il annonçait:

—En ce moment elle évolue dans l'avant-port... Elle
ne bouge plus... Elle se remet en mouvement... Elle
a dû prendre son remorqueur... Elle marche...
bravo!... Elle s'engage dans les jetées!... Entendez-
vous la foule qui crie... bravo!... C'est le *Neptune*
qui la tire... je vois son avant maintenant... la voilà,
la voilà... Nom de Dieu, quel bateau! Nom de Dieu!
regardez donc!...

Mme Rosémilly et Beausire se retournèrent; les deux
hommes cessèrent de ramer; seule Mme Roland ne remua
point.

L'immense paquebot, traîné par un puissant remorqueur qui avait l'air, devant lui, d'une chenille, sortait
lentement et royalement du port. Et le peuple havrais
massé sur les môles, sur la plage, aux fenêtres, emporté
soudain par un élan patriotique se mit à crier: «Vive la
Lorraine!» acclamant et applaudissant ce départ magnifique, cet enfantement d'une grande ville maritime qui
donnait à la mer sa plus belle fille.

Mais Elle, dès qu'elle eut franchi l'étroit passage enfermé entre deux murs de granit, se sentant libre enfin,
abandonna son remorqueur, et elle partit toute seule
comme un énorme monstre courant sur l'eau.

—La voilà... la voilà!... criait toujours Roland.
Elle vient droit sur nous.

Et Beausire, radieux, répétait:

—Qu'est-ce que je vous avais promis, hein? Est-ce que je connais leur route?

Jean, tout bas, dit à sa mère:

—Regarde, maman, elle approche.

Et Mme Roland découvrit ses yeux aveuglés par les larmes.

La *Lorraine* arrivait, lancée à toute vitesse dès sa sortie du port, par ce beau temps clair, calme. Beausire, la lunette braquée, annonça:

—Attention! M. Pierre est à l'arrière, tout seul, bien en vue. Attention!

Haut comme une montagne et rapide comme un train, le navire, maintenant, passait presque à toucher la *Perle*.

Et Mme Roland éperdue, affolée, tendit les bras vers lui, et elle vit son fils, son fils Pierre, coiffé de sa casquette galonnée, qui lui jetait à deux mains des baisers d'adieu.

Mais il s'en allait, il fuyait, disparaissait, devenu déjà tout petit, effacé comme une tache imperceptible sur le gigantesque bâtiment. Elle s'efforçait de le reconnaître encore et ne le distinguait plus.

Jean lui avait pris la main:

—Tu as vu? dit-il.

—Oui, j'ai vu. Comme il est bon!

Et on retourna vers la ville.

—Cristi! ça va vite, déclarait Roland avec une conviction enthousiaste.

Le paquebot, en effet, diminuait de seconde en seconde comme s'il eût fondu dans l'Océan. Mme Roland tournée vers lui le regardait s'enfoncer à l'horizon vers une terre inconnue, à l'autre bout du monde. Sur ce bateau que rien ne pouvait arrêter, sur ce bateau qu'elle n'apercevrait plus tout à l'heure, était son fils, son pauvre fils. Et il lui semblait que la moitié de son cœur s'en allait

avec lui, il lui semblait aussi que sa vie était finie, il lui
semblait encore qu'elle ne reverrait jamais plus son enfant.

—Pourquoi pleures-tu, demanda son mari, puisqu'il
sera de retour avant un mois?

Elle balbutia:

—Je ne sais pas. Je pleure parce que j'ai mal.

Lorsqu'ils furent revenus à terre, Beausire les quitta
tout de suite pour aller déjeuner chez un ami. Alors
Jean partit en avant avec Mme Rosémilly, et Roland dit
à sa femme:

—Il a une belle tournure, tout de même, notre Jean.

—Oui, répondit la mère.

Et comme elle avait l'âme trop troublée pour songer à
ce qu'elle disait, elle ajouta:

—Je suis bien heureuse qu'il épouse Mme Rosémilly.

Le bonhomme fut stupéfait.

—Ah bah! Comment? Il va épouser Mme Rosémilly?

—Mais oui. Nous comptions te demander ton avis
aujourd'hui même.

—Tiens! tiens! Y a-t-il longtemps qu'il est question
de cette affaire-là?

—Oh! non. Depuis quelques jours seulement. Jean
voulait être sûr d'être agréé par elle avant de te con-
sulter.

Roland se frottait les mains:

—Très bien, très bien. C'est parfait. Moi je
l'approuve absolument.

Comme ils allaient quitter le quai et prendre le boulevard François-Ier, sa femme se retourna encore une fois
pour jeter un dernier regard sur la haute mer; mais elle
ne vit plus rien qu'une petite fumée grise, si lointaine, si
légère qu'elle avait l'air d'un peu de brume.

FIN.

NOTES

NOTES

The policy has been to include, in these notes, the translation of only such words or idiomatic expressions as are not to be found in a good one-volume French dictionary like *le Petit Larousse*. The editor would like to express, at this point, his indebtedness to Mme Georges Blanchard and M. Robert Mauger of le Havre for information on details in the setting of *Pierre et Jean* that has here been incorporated. Mme Blanchard is a former student of the editor, now residing in le Havre; M. Mauger is "conservateur du Musée d'archéologie du Havre" and president of the "Société des amis du vieux Havre."

P. xxxiii, l. 5. *Pierre et Jean* is the only one of Maupassant's novels that may be called strictly "psychological." The remainder of his novels and the majority of his better short-stories are devoted, in large part, to the objective narration of external events rather than to the description of the motives leading up to these events or of the states of mind of the characters caught in the web of "life's little ironies." Many of the stories, however, do attempt to portray the mental reactions of individuals who are a prey to some form of obsession, hallucination, nervous hyperesthesia or other psychopathic condition.

P. xxxiii, l. 25-p. xxxiv, l. 3. A group of famous European novels: *Manon Lescaut,* by l'abbé Prévost (1731); *Paul et Virginie,* by Bernardin de Saint-Pierre (1787); *Don Quichotte,* Cervantes' *Don Quixote* (1605); *les Liaisons dangereuses,* by Choderlos de Laclos (1782); *Werther,* Johann Wolfgang von Goethe's *Die Leiden des jungen Werthers* (1774); *les Affinités électives,* the French title of Goethe's *Die Wahlverwandschaften* (1809); *Clarisse Harlowe,* Samuel Richardson's *Clarissa Harlowe* (1749); *Emile,* by Jean-Jacques Rousseau (1762); *Candide,* by Voltaire (1759); *Cinq-Mars,* by

Alfred de Vigny (1827); *René*, by François-René de Chateau-briand (1805); *les Trois Mousquetaires*, by Alexandre Dumas père (1844); *Mauprat*, by George Sand (1837); *le Père Goriot*, by Honoré de Balzac (1834); *la Cousine Bette*, also by Balzac (1846); *Colomba*, by Prosper Mérimée (1840); *le Rouge et le Noir*, by Stendhal (1831); *Mademoiselle de Maupin*, by Théophile Gautier (1835); *Notre-Dame de Paris*, by Victor Hugo (1831); *Salammbô*, by Gustave Flaubert (1862); *Madame Bovary*, also by Flaubert (1857); *Adolphe*, by Benjamin Constant (1815); *M. de Camors*, by Octave Feuillet (1867); *l'Assommoir*, by Emile Zola (1877); *Sapho*, by Alphonse Daudet (1884).

P. xxxiv, l. 19-23. *Monte-Cristo*, by Alexandre Dumas père (1841-45); *Germinal*, by Zola (1885). For the other novels, see the previous note.

P. xxxv, l. 4. **Victor Hugo** (1802-85) was chief of the French Romanticists, the outstanding literary figure in nineteenth-century France and the author of such celebrated novels as *Notre-Dame de Paris*, *les Misérables* (1862) and *Quatre-vingt-treize* (1873); **Zola** (1840-1902) was the founder and leader of the Naturalistic school in French literature; among his greatest novels, in addition to *l'Assommoir* and *Germinal* listed above, are *Nana* (1880) and *la Débâcle* (1892).

P. xxxvi, l. 17-21. Maupassant seems to refer here, successively, to the Classicism of the seventeenth and eighteenth centuries and the Romanticism of the first half of the nineteenth century; these were followed, in turn, by the literary movements known as Realism, the most successful exponent of which was Flaubert, whose work shows the influence of Balzac and Stendhal, and Naturalism. Maupassant, himself a Naturalist, was in some respects superior even to Zola. Naturalism, in literature and the arts, is a development of Realism in which the more sordid aspects of life are stressed.

P. xxxvii, l. 10. This paragraph describes the Romantic novel.

P. xxxvii, l. 24. This paragraph and the two which follow describe the Realistic novel and the Naturalistic novel.

P. xxxviii, l. 9. **Son ou ses personnages.** His character or characters. Maupassant's locution is somewhat clumsy.

P. xxxix, l. 21. From Boileau's famous *l'Art poétique* (1674), canto III, line 48. This is a critical poem, stating the canons for the composition of the various literary *genres* in the period of French classicism.

P. xxxix, l. 26. It is of interest to note that what Maupassant declared to be impossible was actually accomplished some thirty-five years later. James Joyce's epoch-making *Ulysses* (Paris, 1924) is a novel of 732 large closely printed pages which purports to be the story of one day in the life of an Irish Jew named Leopold Bloom.

P. xl, l. 2-3. Most French newspapers devote a daily column to what are styled *faits divers,* brief news-items about accidents, crimes, etc., the central figures of which are people of little importance.

P. xli, l. 19-20. The **roman d'analyse pure** is the "psychological" or "analytical" novel; the **roman objectif,** as Maupassant presents it, is concerned chiefly with the narration of episodes in the lives of the characters, without much attention to the mental processes of these characters. Both of these types may be either Romantic or Realistic, according to whether they treat of likely or unlikely happenings and whether the author introduces into or excludes from the treatment his own personality. In the following paragraphs, Maupassant states his definite preference for the **roman objectif.**

P. xliii, l. 5. In this paragraph, Maupassant overlooks the fact that great creators of character, like Shakespeare or Balzac, are able to project themselves in imagination into their creatures and successfully endow them with qualities that are entirely foreign to their own natures.

P. xliv, l. 11. The **Symbolists** were writers, chiefly poets, of the latter part of the nineteenth century who, rebelling against the precise poetry of their predecessors, known as the Parnassians, and the prosaic subject-matter of the Naturalists, inaugurated the reign of "free verse" and drew from the realms of the subconscious and the unconscious for their themes. Their writings are, therefore, frequently characterized by an obscurity for which "photographic" writers like Maupassant had little sympathy.

P. xlv, l. 16. For Maupassant's indebtedness to Bouilhet and Flaubert, *vide* the introduction to this edition, pp. xxi and xxii.

P. xlvi, l. 9-10. Le talent n'est qu'une longue patience. This is an approximate rendering of a statement, attributed by Hérault de Séchelles, in his *Voyage à Montbard,* to the great eighteenth-century French natural scientist, Georges-Louis Leclerc de Buffon (1707-1778). Buffon's actual words are said to have been: *"Le génie n'est qu'une plus grande aptitude à la patience."*

P. xlvii, l. 20. This paragraph is a statement of the theory of the "mot juste" or the "mot propre" which dominates the work of Flaubert and made of him one of the most painstaking writers of all times. During his literary career of some thirty years, he published only five works, though he left behind numerous manuscripts of stories, novels, plays and travel-notes and a voluminous correspondence, which were published posthumously, so that his complete works now fill some twenty volumes.

P. xlvii, l. 29. From *l'Art poétique,* canto I, line 133.

P. xlvii, l. 30. This paragraph and the three which follow contain an interesting appreciation of the qualities of French prose, and a criticism of the "impressionistic" style of the brothers, Edmond and Jules de Goncourt, whose novels are a series of the most amazing feats of collaboration known to French literature.

PIERRE ET JEAN

P. 3, l. 10. **Ça ne mord plus du tout.** They're not biting at all any more.

P. 4, l. 11. **Cristi!** For *"sacristi!"* a common oath.

P. 5, l. 1. **au Havre.** Le Havre is, after Marseilles, the most important of French seaports, and is situated at the mouth of the Seine River, about 140 miles northeast of Paris.

P. 5, l. 12-13. **venait d'être reçu docteur.** Had just received his M.D. degree.

P. 5, l. 20. **diplôme de licencié.** Roughly, the equivalent of our M.A. degree.

P. 6, l. 24. **capitaine au long cours.** Captain of a ship making long voyages, as opposed, for example, to the captain of a coast-wise vessel.

P. 7, l. 31-32. **un long-courier retraité.** A retired *"capitaine au long cours."*

P. 7, l. 34. **surnommé Jean-Bart.** Nicknamed after the famous corsair and naval captain who distinguished himself in the wars of Louis XIV (1650-1702).

P. 8, l. 11. **par exemple.** An interjection expressing surprise; here: I should say not.

P. 8, l. 24. **cap de la Hève.** A promontory just ouside of le Havre on the crest of which is a lighthouse with very powerful lamps.

P. 9, l. 10. **Southampton** is an English Channel port from which there is a regular service for le Havre; it is now a port of call for many transatlantic liners.

P. 9, l. 21-22. **la Normandie.** A steamship of the French Line; many of the boats of this line are named for some part of France or for some famous Frenchman.

P. 10, l. 13. In this description of Mme Roland we may note a slight resemblance between her and the heroine of Flaubert's *Madame Bovary*.

P. 11, l. 21. **Avant partout!** Together now, pull! M. Roland is fond of using nautical language.

P. 11, l. 34. **mollis, souque.** Let up, pull hard.

P. 11, l. 35-p. 12, l. 1. **huile de bras.** "Elbow-grease."

P. 12, l. 28. **les avirons de couple.** Pair of oars to be used by one oarsman; the brothers are using single oars of another pair.

P. 12, l. 31-32. **à quoi cela rime-t-il de se mettre dans un état pareil?** What sense is there in letting yourself get into such a state?

P. 13, l. 28-29. **trois-mâts chargés de ramures emmêlées.** Three-masters with their forests of spars.

P. 13, l. 33. **perroquet.** Small mast above the crow's-nest (hune); above the **perroquet** is a smaller mast called the **cacatois** (*vide* p. 15, l. 27-28).

P. 14, l. 11-26. The mouth of the Seine, at le Havre, is exceedingly wide. Villerville, **Trouville**, etc., are towns in Lower Normandy (**la basse Normandie**) on the other side of the Seine from le Havre; **la rivière de Caen**, the Orne, which, like the Seine, flows into the English Channel; **les roches du Calvados**, a dangerous chain of rocks in the Channel; **Cherbourg**, an important Channel port; **Quilleboeuf**, a small port on the Seine, famous in Maupassant's day for its pilots. **S'ils ne font pas ——— du chenal**, if they do not go over the ship-channel daily. **Dunkerque**, Dunkirk, a Channel port in French Flanders. **Etretat, Fécamp**, etc., towns in Upper Normandy (**la haute Normandie**); Maupassant was reared in this part of the country, spending much of his boyhood in Etretat, where, in 1883, after he had achieved success, he built himself a country-home which he called *la Guillette* and in which he lived a part of each year almost to the end of his life.

P. 15, l. 12. **la rue de Paris.** This is still the principal street of le Havre (cf. p. 27, l. 1-2).

P. 15, l. 16. **place de la Bourse.** This is the name given by residents of le Havre to the Place Carnot, on which stands the Stock Exchange building erected in 1880. The Havre Bourse is the most important cotton and coffee exchange in France.

P. 15, l. 17. **le bassin du Commerce.** One of the "basins" of the harbor of le Havre; it is in front of the Place Jules Ferry (formerly Place du Commerce) which is just behind the Bourse. Compare this description of the harbor with those on p. 29, l. 13 to p. 30, l. 33 and on p. 64, l. 34 to p. 65, l. 18, and thence, at intervals, to the end of chapter four. Maupassant's fondness for detail is well illustrated in these passages.

P. 16, l. 1-2. **Bon, voici la veuve qui s'incruste maintenant.** Well, the widow is fastening on to us now.

P. 16, l. 14. **Il est v'nu un m'sieu trois fois.** Maupassant makes this servant run her words together in a manner characteristic of rapid conversation. Cf. l. 20, l. 22, and l. 24.

P. 16, l. 17. **nom d'un chien.** A common oath; might be translated: "by jingo."

P. 17, l. 25-26. **il n'y a plus d'oncle d'Amérique.** An allusion to the notion, common in Europe at one time, that everyone who emigrated to America soon became a millionaire.

P. 18, l. 15. **C'est servi.** Dinner is served.

P. 19, l. 23. **Je crois bien!** I should say so!

P. 19, l. 27-28. **chef de bureau aux finances.** Departmental head in the Treasury.

P. 20, l. 28-29. **aux enfants abandonnés.** To foundling-homes.

P. 24, l. 3. **sacré veinard.** You lucky devil.

P. 24, l. 10-11. **En voilà une, de chance!** There's a piece of luck for you!

P. 24, l. 18. **jours de sortie.** Free days. French schools are closed on Thursdays and Sundays; on these days, boarding-students, who live at the schools, are allowed to go out under the chaperonage of a relative or a friend.

P. 24, l. 34. **par le temps qui court.** Nowadays.

P. 25, l. 34-35. **C'est égal, en voilà une veine, une rude veine!** All the same, it's a mighty fine piece of luck!

P. 27, l. 16. **place du Théâtre.** Maupassant is here referring to the square on which stands the Théâtre Municipal; this square, formerly called Place Louis XVI, is now, and was probably when Maupassant wrote *Pierre et Jean*, called Place Gambetta.

P. 27, l. 17. **café Tortoni.** This café still exists and, as it is close to the Théâtre Municipal, is the rendez-vous for theatre-goers after performances.

P. 29, l. 17. **la Plata.** An important river in South America forming the boundary between Argentina and Uruguay; the capitals of these two countries, Buenos Aires and Montevideo, as well as the Argentinian city of La Plata, are situated on this river.

P. 29, l. 26-27. **Sainte-Adresse.** This is a suburb of le Havre, situated on the slopes of the cap de la Hève (*vide* note p. 8, l. 24). During the German occupation of Brussels in the World War, Sainte-Adresse came into prominence by its selection as the temporary seat of the Belgian government.

P. 30, l. 2. **à éclats et à éclipses.** Flashing and alternating.

P. 30, l. 7. **Honfleur** is at the mouth of the Seine in Lower Normandy; **la rivière de Pont-Audemer** is la Rille, a stream which flows into the Seine near its mouth, also in Lower Normandy.

P. 30, l. 10. **le phare aérien d'Etouville.** There seems to be no such place as Etouville near le Havre; M. Robert Mauger is of the opinion that Maupassant is here referring to the "phare de Fatouville," a beacon situated on a hill near the town of Berville, which is on the other side of the Seine from le Havre and was, in Maupassant's day, the only powerful beacon to guide ships up the Seine from le Havre to Rouen.

P. 30, l. 11. **Rouen** is the principal city of Normandy and was the capital of that province when it was an independent duchy; now a busy commercial centre.

P. 30, l. 25-26. **nous nous faisons de la bile pour quatre sous!** We're getting all excited about nothing!

P. 31, l. 24. **la Chatte blanche.** Tale of a young prince who, in the course of adventures upon which he has embarked at the command of his father, meets a beautiful white cat which is, of course, a princess in disguise; by magical means, he enables her to assume her natural form and marries her. **la Belle au bois dormant.** Tale of the Sleeping Beauty.

P. 32, l. 23. **le quartier d'Ingouville.** Formerly an independent settlement separated from le Havre by ditches and marshes; now a section of le Havre including St. Michael parish and the portion of the coast occupied by the oldest residences of shipbuilders and merchants of the city. **Ingouville,** according to M. Robert Mauger, is, etymologically, "Ingolf villa."

P. 32, l. 25. **un vieux Polonais, réfugié politique.** After the partition of Poland between Russia, Prussia and Austria at the end of the eighteenth century, there were many uprisings on the part of the Poles seeking to regain their liberty, which were put down ruthlessly, so that, to escape execution, many of them fled to France and other countries for shelter. One of these unsuccessful rebellions occurred in 1863, and "old Marowsko" had presumably come to France at that time. One of the results of the World War was the restoration of independence to the country through the creation of the Polish Republic.

P. 33, l. 16. **un vieux homme.** Maupassant regularly uses this expression, but it would be more usual to say "un vieil homme."

P. 34, l. 19. **Marat.** Robespierre, Danton and Marat were the outstanding leaders of the French Revolution during the Reign of Terror of 1793-94. **Marat** was assassinated by Charlotte Corday on July 13, 1793. He had studied medicine in his youth and had attracted some attention as a medical quack and vendor of remedies.

P. 36, l. 9. In this paragraph, with its detailed financial calculations, Maupassant is the true disciple of Balzac who may be said to have been the first novelist to use money as a prominent element in fiction.

P. 37, l. 4. **le Figaro.** An important Paris journal, founded in 1854, and now, as an ultra-conservative daily, circulating chiefly among the wealthier and more aristocratic portions of the city's population.

P. 38, l. 22. **au Palais,** i.e., the Palais de Justice, the courthouse. The Palais de Justice of le Havre is one of its more prominent edifices to this day.

P. 38, l. 31. **au Sénégal.** One of France's colonial possessions on the west coast of Africa.

P. 39, l. 14-15. **se la couler douce.** Take life easy.

P. 39, l. 27. **Boilbec-Nointot.** A town in Upper Normandy, about fifteen miles from le Havre, on the road to Rouen.

P. 40, l. 19. **le boulevard François Ier.** This is still one of the principal streets of le Havre.

P. 42, l. 18-19. **au quartier Latin.** The famous student-and-artist quarter of Paris, on the left bank of the Seine. In this quarter are to be found various branches of the University of Paris, as well as the Collège de France, the Ecole polytechnique, and many *lycées, collèges* and art-schools.

P. 47, l. 14. **bis repetita placent.** Things repeated are pleasant, i.e., "two drinks are better than one." This is, perhaps, a variant

of Horace's *Ars Poetica,* line 365, where we read: "Haec deciens
repetita placebit," "this" (i.e., a fine bit of poetry) "will please
even though repeated ten times." There seems to be no Latin
motto exactly equivalent to the remark of Captain Beausire.

P. 47, l. 18-19. **coups de roulis, coup de tangage, grosse
mer.** Captain Beausire superinduces in himself, artificially, the
"rolling," "pitching" and "rough seas" to which he had been
accustomed as a seafarer.

P. 48, l. 21. **Bigre!** A common French exclamation: "golly!"

P. 48, l. 25. **Saint-Domingue.** Capital of the Dominican Republic which, with the Republic of Haiti, forms the island of
Haiti in the West Indies.

P. 48, l. 28. **Meudon.** An industrial suburb of Paris which is a
favorite picnic-site on Sundays for inhabitants of the capital.

P. 48, l. 31. **Saint-Jouin.** A tiny village on the coast, near
Etretat, about twelve miles from le Havre. It is picturesquely
situated on the cliffs overlooking the English Channel.

P. 49, l. 8. **au Gabon.** Gabun, a colony on the south Atlantic
that forms part of French Equatorial Africa; **Sainte-Marie de
Madagascar,** either the Cape Sainte-Marie at the extreme
southern tip of the island of Madagascar, a French colonial possession in the Indian Ocean off the east coast of Africa, or the tiny
island of Sainte-Marie just off the northeast coast of Madagascar.

P. 49, l. 17-18. The Gascons, inhabitants of that section of
southern France formerly known as Gascony, are proverbially
bold, talkative and inclined to boasting. D'Artagnan of Dumas'
les Trois Mousquetaires and the Cyrano de Bergerac of Edmond
Rostand's play of that name are two of the best examples of the
type in literature.

P. 49, l. 21. **Pithiviers,** a town in north central France famous
for its **pâtés d'alouettes,** "lark-patties."

P. 50, l. 15. **fait du bobo à petite santé.** This is the way a
French child might say: "is bad for the health."

P. 53, l. 29-30. **avait le compliment coulant.** Was fond of
turning compliments.

P. 57, l. 20. **A nous deux, patron.** Let's go, captain, just we
two! A **patron** is the captain of a small boat.

P. 57, l. 24. **Toujours vent d'amont,** etc. "The wind is still
upstream" (i.e., from the west, in this case). "There is a good
breeze in the open sea." **J'avons** is a colloquialism common among
the illiterate for "j'ai" or, as here, "il y a."

P. 57, l. 26. **mon père, en route.** Let's go, old top.

P. 57, l. 27. This paragraph and those which immediately follow reflect Maupassant's fondness for boating (*vide* Introduction,
pp. xii-xiii) and his knowledge of the details of the sport.

P. 58, l. 27. **Liverpool.** The important English seaport, on the
west coast of the island, where the Mersey River flows into the
Irish Sea.

P. 59, l. 9. **V'là d'la brume, m'sieu Pierre, faut rentrer.** Colloquial for *"Voilà de la brume, monsieur Pierre, il faut rentrer."*

P. 59, l. 33. **ça aura un coup d'œil féerique.** It will look like fairyland.

P. 62, l. 31-32. **le Phare de la Côte, le Sémaphore havrais.** There are no such newspapers in le Havre now, and there apparently never have been. The names are Maupassant's own invention.

P. 65, l. 34. **la rue Tronchet.** A street in Paris, behind the imposing church of the Madeleine.

P. 69, l. 33-34. **la rue Montmartre.** A busy street leading from the great central markets of Paris, *les Halles,* toward the interesting section of the city known as Montmartre.

P. 71, l. 27. **Sorrente, Castellamare.** Two beautifully situated towns on the gulf of Naples, not far from the foot of Mt. Vesuvius.

P. 77, l. 21. **Trouville** (*vide* note to p. 14, l. 11) is still a very fashionable seaside resort. There is a regular steamboat service across the mouth of the Seine from le Havre to Trouville and other points on the Lower Normandy coast.

P. 78, l. 20-21. **tant qu'on ne l'avait pas secoué à lui arracher le bras.** As long as he had not been shaken almost to the point of having his arm pulled out.

P. 81, l. 8. **les Roches-Noires.** A section of the beach at Trouville on which the board-walk is situated.

P. 88, l. 19. **mon Jeannot.** Johnnie boy.

P. 90, l. 18. **il est parti à l'anglaise.** He has taken French leave. This is an amusing phenomenon in the idiom of the two languages.

P. 92, l. 22. **ça crève les yeux.** It is perfectly obvious, "it knocks your eyes out."

P. 96, l. 31. **bouquet.** Large pink crayfish.

P. 111, l. 3. **dessin Louis XV.** Design characteristic of the period of Louis XV, king of France from 1722 to 1774.

P. 130, l. 25. **V'là, M'sieu, qué qui faut?** For *"Voilà, monsieur, qu'est-ce qu'il faut?"*

P. 133, l. 12. **l. Compagnie.** The French Line is known in France as "la Compagnie Générale Transatlantique."

P. 133, l. 19-20. **la Lorraine.** See note to p. 9, l. 21. There was a liner by this name in the service of the C. G. T. until very recently.

P. 134, l. 2. **commissaire de bord.** Chief steward.

P. 135, l. 23. **l'Ecole de médecine.** The medical school of the University of Paris, of which Pierre was a graduate.

P. 138, l. 8. **velours frappé.** "Figured" or "brocaded" velvet.

P. 139, l. 16. **style Empire.** Style prevalent in France during the reign of Napoleon, known as the Empire (1804-15).

P. 150, l. 6. **Saint-Nazaire.** French port on the Atlantic coast, at the mouth of the Loire River.

P. 151, l. 13. **Ça te va?** Does that suit you?

P. 151, l. 21-22. **le courage d'en vouloir à quelqu'un et de quoi que ce fût.** The courage to bear anyone a grudge and for anything whatsoever.

P. 151, l. 34-35. **train de marée.** Boat-train.

P. 153, l. 3. **Mais foutez-vous donc à l'eau.** Why don't you go jump in the water! The French expression is very strong.

P. 156, l. 5. **Hardi! les enfants.** Pull hearty, lads!

The Modern Student's Library

NOVELS

AUSTEN: Pride and Prejudice
With an introduction by WILLIAM DEAN HOWELLS

BUNYAN: The Pilgrim's Progress
With an introduction by SAMUEL McCHORD CROTHERS

COOPER: The Spy
With an introduction by TREMAINE McDOWELL, Associate Professor of English, University of Minnesota

ELIOT: Adam Bede
With an introduction by LAURA JOHNSON WYLIE, formerly Professor of English, Vassar College

FIELDING: The Adventures of Joseph Andrews
With an introduction by BRUCE McCULLOUGH, Associate Professor of English, New York University

GALSWORTHY: The Patrician
With an introduction by BLISS PERRY, Professor of English Literature, Harvard University

HARDY: The Return of the Native
With an introduction by J. W. CUNLIFFE, Professor of English, Columbia University

HAWTHORNE: The Scarlet Letter
With an introduction by STUART P. SHERMAN, late Literary Editor of the New York *Herald Tribune*

MEREDITH: Evan Harrington
With an introduction by GEORGE F. REYNOLDS, Professor of English Literature, University of Colorado

MEREDITH: The Ordeal of Richard Feverel
With an introduction by FRANK W. CHANDLER, Professor of English and Comparative Literature, and Dean of the College of Liberal Arts, University of Cincinnati

SCOTT: The Heart of Midlothian
> With an introduction by WILLIAM P. TRENT, Professor of English Literature, Columbia University

STEVENSON: The Master of Ballantrae
> With an introduction by H. S. CANBY, Assistant Editor of the *Yale Review* and Editor of the *Saturday Review*

THACKERAY: The History of Pendennis
> With an introduction by ROBERT MORSS LOVETT, Professor of English, University of Chicago. 2 vols.; $1.50 *per set*

TROLLOPE: Barchester Towers
> With an introduction by CLARENCE D. STEVENS, Professor of English, University of Cincinnati

WHARTON: Ethan Frome
> With a special introduction by EDITH WHARTON

THREE EIGHTEENTH CENTURY ROMANCES: The Castle of Otranto, Vathek, The Romance of the Forest
> With an introduction by HARRISON R. STEEVES, Professor of English, Columbia University

POETRY

BROWNING: Poems and Plays
> Edited by HEWETTE E. JOYCE, Assistant Professor of English, Dartmouth College

BROWNING: The Ring and the Book
> Edited by FREDERICK MORGAN PADELFORD, Professor of English, University of Washington

TENNYSON: Poems
> Edited by J. F. A. PYRE, Professor of English, University of Wisconsin

WHITMAN: Leaves of Grass
> Edited by STUART P. SHERMAN, late Literary Editor of the New York *Herald Tribune*

WORDSWORTH: Poems
> Edited by GEORGE M. HARPER, Professor of English, Princeton University

AMERICAN SONGS AND BALLADS
> Edited by LOUISE POUND, Professor of English, University of Nebraska

ENGLISH POETS OF THE EIGHTEENTH CENTURY
> Edited by ERNEST BERNBAUM, Professor of English, University of Illinois

MINOR VICTORIAN POETS
> Edited by JOHN D. COOKE, Professor of English, University of Southern California

ROMANTIC POETRY OF THE EARLY NINETEENTH CENTURY
> Edited by ARTHUR BEATTY, Professor of English, University of Wisconsin

ESSAYS AND MISCELLANEOUS PROSE

ADDISON AND STEELE: Selections
Edited by WILL D. HOWE, formerly head of the Department of English, Indiana University

ARNOLD: Prose and Poetry
Edited by ARCHIBALD L. BOUTON, Professor of English and Dean of the Graduate School, New York University

BACON: Essays
Edited by MARY AUGUSTA SCOTT, late Professor of the English Language and Literature, Smith College

BROWNELL: American Prose Masters
Edited by STUART P. SHERMAN, late Literary Editor of the New York *Herald Tribune*

BURKE: Selections
Edited by LESLIE NATHAN BROUGHTON, Assistant Professor of English, Cornell University

CARLYLE: Past and Present
Edited by EDWIN MIMS, Professor of English, Vanderbilt University

CARLYLE: Sartor Resartus
Edited by ASHLEY H. THORNDIKE, Professor of English, Columbia University

EMERSON: Essays and Poems
Edited by ARTHUR HOBSON QUINN, Professor of English, University of Pennsylvania

FRANKLIN AND EDWARDS: Selections
Edited by CARL VAN DOREN, Associate Professor of English, Columbia University

HAZLITT: Essays
Edited by PERCY V. D. SHELLY, Professor of English, University of Pennsylvania

LINCOLN: Selections
Edited by NATHANIEL WRIGHT STEPHENSON, author of "Lincoln: His Personal Life"

MACAULAY: Historical Essays
Edited by CHARLES DOWNER HAZEN, Professor of History, Columbia University

MEREDITH: An Essay on Comedy
Edited by LANE COOPER, Professor of the English Language and Literature, Cornell University

PARKMAN: The Oregon Trail
Edited by JAMES CLOYD BOWMAN, Professor of English, Northern State Normal College, Marquette, Mich.

POE: Tales
Edited by JAMES SOUTHALL WILSON, Edgar Allan Poe Professor of English, University of Virginia

RUSKIN: Selections and Essays
Edited by FREDERICK WILLIAM ROE, Professor of English, University of Wisconsin

STEVENSON: Essays
Edited by WILLIAM LYON PHELPS, Lampson Professor of English Literature, Yale University

SWIFT: Selections
Edited by HARDIN CRAIG, Professor of English, University of Iowa

THOREAU: A Week on the Concord and Merrimack Rivers
Edited by ODELL SHEPARD, James J. Goodwin Professor of English, Trinity College

CONTEMPORARY ESSAYS
Edited by ODELL SHEPARD, James J. Goodwin Professor of English, Trinity College

CRITICAL ESSAYS OF THE EARLY NINETEENTH CENTURY
Edited by RAYMOND M. ALDEN, late Professor of English, Leland Stanford University

SELECTIONS FROM THE FEDERALIST
Edited by JOHN S. BASSETT, late Professor of History, Smith College

NINETEENTH CENTURY LETTERS
Edited by BYRON JOHNSON REES, late Professor of English, William College.

ROMANTIC PROSE OF THE EARLY NINETEENTH CENTURY
Edited by CARL H. GRABO, Professor of English, University of Chicago

SEVENTEENTH CENTURY ESSAYS
Edited by JACOB ZEITLIN, Associate Professor of English, University Illinois

BIOGRAPHY

BOSWELL: Life of Johnson
Abridged and Edited by CHARLES GROSVENOR OSGOOD, Professor of English, Princeton University

CROCKETT: Autobiography of David Crockett
Edited by HAMLIN GARLAND

PHILOSOPHY SERIES
Editor, Ralph Barton Perry
Professor of Philosophy, Harvard University

ARISTOTLE: Selections
Edited by W. D. ROSS, Professor of Philosophy, Oriel College, University of Oxford

BACON: Selections
Edited by MATTHEW THOMPSON MCCLURE, Professor of Philosophy, University of Illinois

BERKELEY: Selections
Edited by MARY W. CALKINS, late Professor of Philosophy and Psychology, Wellesley College

DESCARTES: Selections
Edited by RALPH M. EATON, late Assistant Professor of Philosophy, Harvard University

HEGEL: Selections
Edited by JACOB LOEWENBERG, Professor of Philosophy, University of California

HOBBES: Selections
Edited by FREDERICK J. E. WOODBRIDGE, Johnsonian Professor of Philosophy, Columbia University

HUME: Selections
Edited by CHARLES W. HENDEL, JR., Professor of Philosophy, McGill University

KANT: Selections
Edited by THEODORE M. GREENE, Associate Professor of Philosophy, Princeton University

LOCKE: Selections
Edited by STERLING P. LAMPRECHT, Professor of Philosophy, Amherst College

PLATO: The Republic
With an introduction by C. M. BAKEWELL, Professor of Philosophy, Yale University

PLATO: Selections
Edited by RAPHAEL DEMOS, Assistant Professor of Philosophy, Harvard University

SCHOPENHAUER: Selections
Edited by DEWITT H. PARKER, Professor of Philosophy, University of Michigan

SPINOZA: Selections
Edited by JOHN D. WILD, Instructor in Philosophy, Harvard University

MEDIEVAL PHILOSOPHY
Edited by RICHARD MCKEON, Assistant Professor of Philosophy, Columbia University

FRENCH SERIES
Editor, Horatio Smith

Professor of French Language and Literature, Brown University

BALZAC: Le Père Goriot
With an introduction by HORATIO SMITH, Brown University

CORNEILLE: Le Cid, Horace, Polyeucte, Le Menteur
Edited by C. H. C. WRIGHT, Professor of French Language and Literature, Harvard University

FLAUBERT: Madame Bovary
With an introduction by CHRISTIAN GAUSS, Dean of the College, Princeton University

MADAME DE LA FAYETTE: La Princesse de Clèves
With an introduction by H. ASHTON, Professor of French Language and Literature, University of British Columbia

MOLIÈRE: Les Précieuses Ridicules, Le Tartuffe, Le Misanthrope
Edited by WILLIAM A. NITZE and HILDA L. NORMAN, University of Chicago

PRÉVOST: Histoire du Chevalier des Grieux et de Manon Lescaut
With an introduction by LOUIS LANDRÉ, Associate Professor of French, Brown University

RACINE: Andromaque, Britannicus, Phèdre
Edited by H. CARRINGTON LANCASTER, Professor of French Literature, Johns Hopkins University, and EDMOND A. MÉRAS, Professor of French Literature, Adelphi College

GEORGE SAND: Indiana
With an introduction by HERMANN H. THORNTON, Associate Professor of French and Italian, Oberlin College

STENDHAL: Le Rouge et le Noir
With an introduction by PAUL HAZARD, Collège de France

VOLTAIRE: Candide and Other Philosophical Tales
Edited by MORRIS BISHOP, Assistant Professor of the Romance Languages and Literature, Cornell University

FRENCH ROMANTIC PLAYS: Dumas's "Antony," Hugo's "Hernani" and "Ruy Blas," Vigny's "Chatterton," Musset's "On ne badine pas avec l'amour."
Edited by W. W. COMFORT, President, Haverford College

FRENCH ROMANTIC PROSE
Edited by W. W. COMFORT, President, Haverford College

FOUR FRENCH COMEDIES OF THE EIGHTEENTH CENTURY: Lesage's "Turcaret," Marivaux's "Le jeu de l'amour et du hasard," Sedaine's "Le philosophe sans le savoir," Beaumarchais's "Le barbier de Séville"
Edited by CASIMIR D. ZDANOWICZ, Professor of French, University of Wisconsin